「還って来た者」の言葉

コロナ禍のなかでいかに生きるか

神山睦美

Mutsumi Kamiyama

幻戯書房

はじめに

束の間の宴の後のクライシス

新型コロナウィルスの感染が問題になったのは「令和」という元号が定められて一年もたたない時期です。「令和」というのは万葉学者の中西進の考案といわれ、「令月にして、気淑く、風和ぎ」といった言葉から命名されたということですが、いまになってみれば、これと真逆の意味がその裏に隠されていたとさえいえます。

もともと『万葉集』巻5の梅花の歌33首の序にあるこの言葉は、大宰府で催された宴に寄せられたものとされています。だが、中心となった大伴旅人を、風流を愛でる貴人などと受け取ったら大間違いになります。大伴氏が大和朝廷の東征の中心的役割を果たし、更には太宰府長官に任じられることで、当時の朝鮮情勢の最先端に位置する役割を果たしていたことは梅原猛の著書などで明らかにされているからです。

藤井貞和は『非戦へ　物語平和論』で『古事記』の歌謡や『万葉集』の狩猟歌などに当時の「戦争」の影が差していることを見逃してはならないといっていますが、この春の宴の歌だって、当時の朝鮮情勢の逼迫を背後に負った束の間の宴でなかったとはいえません。安倍晋三元首相の談話に語られた「令和には人々が美しく心を寄せ合う中で、文化が生まれ育つという意味が込められております」という受け取りなどはアイロニーとしか思えません。

むしろ彼こそが、このところの日本を取り巻く戦争情勢をパワーポリティックスの理念のもとにとらえ、いつでもこの理念に国家や国民が依拠できるような体制をつくった中心人物なのです。そう考えるならば、「令和」とはそういう状況を背景にした束の間の宴をあらわす年号ではないかと思われてきます。

思えば「平成」という年号が、九〇年代の湾岸戦争やソ連邦崩壊、コソボ戦争やウガンダの内戦、更には二〇〇〇年代の9・11テロ事件やイラク戦争を背後に負っていたことは否定できません。日本だけが平和だったなどということはできないので、「平成」から「令和」にかけて日本がこのような戦争状況にいよいよ接近していることはまちがいありません。私たちにできるのは、「令和」の言葉から体制側の意図を消し去って、クライシスのなかの和らぎのようなものを育てていくことではないでしょうか。

そう思っていた矢先に、新型コロナの感染が世界中に蔓延し、パンデミックが起こりました。これを新しい戦争という向きもありましたが、日本にかぎっていえば、これこそが束の間の宴の後に起こったクライシスだったのです。詩人の来住野(きしの)恵子は、新型コロナウィルスについて次のように述べていました。

パンデミックはまさに今が正念場です。最良の意味での「人類」としての行動が求められていると思います。世界的に見て、第二次世界大戦以来の最も深刻な事態であるとはいえ、人間の社会の「戦争」ならば、人間の意志で終わらせることができます。けれど、対ウイルスでは、人間の意志で即時にどうにか出来るものではありません。生物とも非生物ともつかぬ目にも見えないウイルスひとつにこれだけ震撼させられる無力極まりない人間が、何を勘違いしてか万能顔で、人間以外のたくさんの生き物たちも住んでいるこの豊かな懐深い世界に対して、いったい何をしてきたのかを考えます。

誰もが同じような思いを抱いていると思われるのですが、それでは、このクライシスに際して私たちは何をしたらいいのでしょうか。

「私に触れてはいけない」という言葉

ヨハネ福音書によれば、復活したイエスは、マグダラのマリアに対して「私に触れてはいけない」と語ったといいます。接触を避けるということが、ウィルスの感染を防ぐ最大の処方といっていいのですが、イエスがそのことを述べたとは思えません。大澤真幸によれば、幼児が鏡に映る自分の像を認識するのは、母親とさまざまなかたちで接触してきたからだといいます。つまり、「接触」は、人間にとってアイデンティティの根拠なのです。だとするならば、イエスは、「私に触れてはいけない」という言葉の向こうに、何を思い見ていたのでしょうか。

スラヴォイ・ジジェクは、このイエスの言葉には、「我に触れるな。愛の精神をもって他者に触れ、他者と関わりなさい」（『パンデミック』中村敦子訳）という意味が込められているといいます。コロナ禍は、私たちをばらばらに切り離し、再生できないほどの孤立をもたらしているが、だからこそ、連帯し、協調することがいま求められているといわれます。そういう意味でいえば、感染の危険性を承知で、重症患者の診療に携わる医療従事者の行っていることこそが、連帯と協調をあらわしているといえます。しかし、医療従事者でない私たちは、どうすれば、ジジェクのいう「愛の精神」をもって他者に触れ他者と関わることができるのでしょうか。

「私に触れてはいけない」というイエスの言葉が、復活した後に発せられたものであるということに注意してみましょう。その何日か前、イエスは、十字架の上で、「わが神、わが神、なぜ私をお見捨てになったのですか」という言葉を発して息絶えたのでした。この言葉には、神に対する不信の思い、さらには慚愧の念が込められていると取られることがあります。しかし、ジジェクは、そう取りません。そこには、父なる神は、子であるイエスを救うこともできない無力な存在であったのかということについての気づきがあるといいます。そして、復活したイエスとは、そういう神の独り子として、父なる神よりもさらに弱く、無一物の存在としてマグダラのマリアのもとに現れたと考えることができます。

ですから、ジジェクのいう「愛の精神をもって他者に触れ、他者と関わりなさい」というのは、自分をどのような力も持たない弱き者として、他者の前に立ちなさいということなのです。触れるためには、まず、自分が何者であるかを他者の前で明かさなければなりません。そして、他者と関わるとは、そういう存在として、他者と向き合うということなのです。そこには、たとえ直接触れ合うことができなくとも、こころの最も深いところで交わしあう何かがあるということができます。

来住野恵子は「生物とも非生物ともつかぬ目にも見えないウイルスひとつにこれだけ震撼させられる無力極まりない人間」と述べています。そうであるならば、むしろ、どのような力も持たない弱き者として、このコロナ禍のなかを生き、そして、見えない多くの他者の前に立ってみてはどうでしょうか。先に述べたように、多くの医療従事者が、すでにそれを行っていたといえますが、実際、カミュも『ペスト』において、医師リウーを通してそのようなありかたを描いてみせました。まさにリウーは、みずからの無力をかみしめながら、それにもかかわらず、愛と希望を信じようとしたのです。


記憶もなく、希望もなく、彼らはただ現在のなかにはまりこんでいた。げんに彼らには、現在しかなかった。特筆すべきことだが、ペストは彼ら全員から、愛の能力と、友情の能力さえも奪ってしまったのだ。なぜなら、愛はいくらかの未来への期待を必要とするものだからだ。しかし、我々にはもはやその瞬間その瞬間しか存在していなかった。

（中条省平訳）

イエスが、マグダラのマリヤに向かって、「私に触れてはいけない」と語ったのは、こういうことではないでしょうか。ガリラヤでは、大きな災厄のために人々は、愛の能力と、友情の能力さえも奪われている、愛はいくらかの未来への期待を必要とするものだからだ、彼らにはもはやその瞬間瞬間しか存在していない、しかし、彼ら希望を失った人々のもとに行って、あなたたちのためにのみ希望はあたえられていると語りかけなさい、私と同じように、どのような力も持たない弱き者として、彼らに向き合いなさい、と。

目次

II　加藤典洋・村上春樹

「還って来た者」の言葉

——コロナ禍のなかでいかに生きるか

I

吉本隆明・親鸞・西行・ヴェイユ

死を普遍的に歌うということ

——吉本隆明と立原道造

「負けたくない」という心情

吉本隆明は、戦中期、天皇制ファシズムを信奉する皇国少年でした。昭和二〇年八月一五日終戦の詔勅に接しても、徹底抗戦を願っていました。ところが、復員した兵士や武装解除された兵士たちが、リュックサックいっぱいに食料や物品を詰め込んで、故郷へ帰っていく姿を見ているうちに、戦後がそこから始まるという思いにとらえられました。彼ら兵士たちにあったのは、国に殉ずる心であるよりも、自分や家族を第一に思う心だったのです。

そこから、戦後の吉本隆明の歩みは始められるのですが、彼がまず第一に考えたのは、戦争協力の文学作品を残した作家や詩人たちの問題でした。中でも、四季派といわれる詩人たちが、優れた抒情詩を書く一方で激烈な戦争詩を書いたのはなぜかということでした。彼らは、結局、封建的遺制に足を取られたというのが、吉本隆明の下した判断だったのですが、一方で、戦争詩を書くことなくこの世を去った中原中也と立原道造については、判断を留保しています。

封建的遺制とはどういうものでしょうか。文字通り取ることもできるのですが、それでは現在にまで通じる問題として受け取ることにはなりません。

先の戦争を進めていった指導層と、それに乗じた国民大衆のなかに巣食っていたのは「負けたくない」という心情でした。西欧列強だけでなく、中国、韓国に対して劣位に置かれたくない、絶対に優位に立ちたいという心情といってもいいでしょう。それはそれで戦争である以上、勝たなければならないのだから、当然のことと思われます。だが、たとえば小林秀雄は戦争について問われたときに「国民は黙って事変に処した」と答えています。「負けたくない」という心情のままに、指導層の無謀な政策の片棒を担いだ国民大衆が数えきれないほどいたはずなのに、むしろそういう心情にとらわれることなく、無言で戦争に対処した国民に、小林秀雄は焦点を当てました。

死を生の欠かせない何かとみなしている人々

吉本隆明が、封建的遺制といったのは、どうしても無言でいることのできない心情、この「負けたくない」という心情でした。その根底には、人間の人間に対する嫉妬・怨望・ルサンチマンが隠されています。これを私は反動感情と呼んでいるのですが、そういう心情や感情にとらわれたありかたにほかなりません。三好達治をはじめ四季派の詩人たちは、そういう反動感情にとらわれて戦争詩に走っていったといえます。

では、中原中也と立原道造は、どうか。彼らは、たとえ戦争期をも生き延びていたとしても、決してそういう時局詩を書くことはなかったでしょう。これは、私の考えなのですが、なぜ彼らは戦争詩を書くことがなかったと断定できるのかというと、彼らの詩の本質は、死を普遍的に歌うということだからなのです。中原中也が、死を普遍的に歌う詩人であることは、「一つのメルヘン」「言葉なき歌」「ゆきてかへらぬ」「春日狂想」などからすぐにわかります。それでは、立原道造はどうでしょうか。「のちのおもひに」の書き出し、

夢はいつもかへつて行つた　山の麓のさびしい村に
水引草に風が立ち
草ひばりのうたひやまない
しづまりかへつた午さがりの林道を

を心読してみればわかります。さらに最終連の、

夢は　真冬の追憶のうちに凍るであらう
そして　それは戸をあけて　寂寥のなかに
星くづにてらされた道を過ぎ去るであらう

（「のちのおもひに」）

を読めば、これが死を普遍的なかたちで歌った詩であることがわかるのではないでしょうか。それでは、なぜ死を普遍的に歌うことのできる詩人は反動感情から自由になれるのでしょう。死を前

にしては、どのような嫉妬・怨望・ルサンチマンも意味をなさないからです。逆にいえば、人間が、みずからの内なる反動感情から自由になれるのは、死に直面した時であるといえます。

そう考えると、小林秀雄のいう無言で戦争に対処した国民大衆や、吉本隆明のいう自分と自分の家族のことしか考えないように見えてその実「生まれ、婚姻し、子をなし、老いて、死んでいく」ことを本質とする大衆の原像は、無意識のうちにも、死を生の欠かせない何かとみなしている人々であるといえます。

なぜ「極悪人」に「救い」があるのか

――吉本隆明『最後の親鸞』を読みながら

大衆・悪人・非知

『最後の親鸞』は吉本隆明の主著といっていい著作です。他にも、吉本さんは、対談や講演をふくめて何冊か親鸞についての本を出しています。ですから、吉本親鸞論は、吉本さんのもっとも重要な仕事だともいえます。それについて考えるためには、すべて読み解いていかなければならないのですが、『最後の親鸞』には、親鸞についての考えが凝縮されています。ある意味、吉本親鸞論はこれを読めば十分ということもできます。

ただ、たいへん難しい本なのです。そのせいか、吉本隆明について論じる人はたくさんいますが、『最後の親鸞』について論じる人はあまりいません。どちらかというと避けられています。最近では、四方田犬彦が親鸞についての厚い本を出し（『親鸞への接近』工作舎）、そこで吉本さんのこの本が採り上げられています。四方田さんらしい丁寧な論及が随所に見られますが、ここでは、私が考えた『最後の親鸞』ということで、少し踏み込んだ物言いをしてみようと思います。私は全共闘世代で、吉本隆明の影響を受けた第一世代だと思います。そのせいか、吉本思想を客観的に跡づけるということがままなりません。それよりも、吉本思想を生きるというか生き直すというか、そういう姿勢で読んできました。

吉本隆明を読んで、最初にぶつかったのは、「知識人と大衆」という問題でした。知を身につけた者は無知な大衆を導かなければならないという考えがあります。私など、全共闘体験のなかで一番苦しめられたのは、全共闘の敗北後に起こってきた急進的な革命思想をどう受け取るかという問題でした。具体的には、大学解体だけでなく、日本国家を転覆させるような革命を起こさなければならないと考えていた連合赤軍的な存在に、どこまで従わなければならないのかという問題としてやってきました。

そんな時に吉本思想に出会って、そういう前衛の革命思想というのはおかしいのだということに気がつきました。吉本さんは、そのことをいうために、知識人から自立した存在としての大衆ということを問題にします。知識人に蒙を啓かれて、近代化や革命へと突き進んでいく大衆というのではなく、そうかといって知識人とは別に自分たちなりの生き方をする大衆というのでもありません。吉本さんは、それを「大衆の原像」という言葉でいうのですが、『最後の親鸞』の一番大事なテーマは「大衆の原像とは何か」ということなのです。本の最初に、こんなことが書かれています。

〈知識〉にとっての最後の課題は、頂きを極め、その頂きに人々を誘って蒙をひらくことではない。頂きを極め、そのまま寂かに〈非知〉に向かって着地することができればというのが、おおよそ、どんな種類の〈知〉にとっても最後の課題である――

ここでいわれている〈非知〉の存在を、「大衆の原像」と考えればいいのではないかと思います。頂を極めた〈知〉が、そのまま寂かに着地する、それが「大衆の原像」ということなのです。吉本さんの考えはそこにあるわけですが、私など、こういう考えに出会うことによって、連合赤軍的な前衛の革命思想の呪縛から解かれたということがありました。

彼らが、どうしてだめかというと、こういう〈非知〉の存在、「大衆の原像」を繰り込もうとしていないからなのです。連合赤軍は、実際にリンチ殺人事件ということを起こすわけですが、彼らは、一貫して「総括」ということを重視し、どれだけ革命思想を実践しているかを問いただすわけです。吉本さん的にいえば、彼らなりに頂を極めようとするのですが、そのことだけに眼が行って、〈非知〉の存在、「大衆の原像」などには眼もくれません。吉本さんが、親鸞について考えながら、革命思想だけではない、宗教思想にとっても一番大事なのは〈非知〉ということだ、そこに大衆の原イメージがあるといっているのとは、大違いです。

では親鸞にとっての大衆、〈非知〉の存在はどんなものだったのでしょうか。『歎異抄』のなかに「善人なおもて往生をとぐ、いわんや悪人をや」というよく知られた言葉があります。善人が往生するのだから、悪人が往生しないはずはない。悪人こそが往生するという意味ですが、この「悪人」が〈非知〉の存在なのです。悪人というのは悪をおこなう人間ですが、そうだとしても、これこそが大衆にほかならない、吉本さんはそう考えています。

ふつうに考えると、吉本さんのいう「大衆の原像」は「悪」から最も遠いところにイメージされたものに見えます。「生まれ、婚姻し、子を生み、育て、老いた無数のひとたちを畏れよう」（『初期ノート』）とか「そういう生活のしかたをして生涯を終える者が、いちばん価値がある存在なんだ」（「自己とは何か——キルケゴールに関連して」）という一節からは、むしろ「善」のイメージが出てきます。

しかし私は、「大衆の原像」というのはエートスではないかと考えています。たんに「知」から最も遠い場所に思い描かれるような存在というだけでなく、「知」にとって最後の課題であるような存在。それは、倫理（エートス）の問題にほかなりません。だからこそ、吉本さんは、親鸞の悪人正機説といわれるこの考えにこだわり、そこから〈非知〉とは何かということを考えていったのです。そうであるとすれば、「大衆の原像」と、「悪」とは何かという問題とを結びつけることができないことはありません。

「善人なおもて往生をとぐ、いわんや悪人をや」という言葉は、親鸞の師である法然の『選択本願念仏集』などで示された考えを突き詰めたところに発せられたものといわれています。ただ、どちらかというと法然には善人救済の考えが強かったのに対して、親鸞はこの言葉で、悪人救済をはっきりと打ち出したといえます。吉本さんは、親鸞が法然から念仏についての考えを受け継いだ時に「悪」の方に力点を置いたのは、そこにこそ〈非知〉とは何かという問題が込められているからだと考えたのです。

では、それはどういうことなのでしょうか。これから考えていきたいのですが、そのためには、「悪人」とは何者なのかという問いと〈非知〉とは何かという問いとを表裏一体のものとして問うていかなければなりません。そういった問いの先に、大衆の原イメージが描かれてくる。そんなふうに考えていきましょう。

専修念仏と非僧非俗

親鸞は鎌倉時代の初期の人です。出家した後、比叡山で一心に修行をし、天台宗について学び、仏教について学びます。でも、まったく悟りがやってきません。平安時代の仏教は最澄や空海に代表されるように、密教を学び、熱心に修行をするといった仏教です。ところが鎌倉時代になると法然が出てきて、修行は大事ではない、念仏を唱えることが一番大事だといいます。

専修念仏といって、難しい学問や仏教の知識はいらない、苦行もいらない、南無阿弥陀仏と唱えていれば往生できるという考えが、あらわれてきました。親鸞は比叡山の学問や修行では収まらないものがあると思い、法然の専修念仏の考え方に惹かれていきます。どう修行をしても悟りを開けないときに、六角堂に一〇〇日間籠ると、聖徳太子が夢に出てきてお告げをするという言い伝えがありますが、それを経て法然の教えに従うようになります。

そして、この専修念仏の考えを深めていきたいと思っていた矢先に、専修念仏を唱える法然を中心とした仏教集団は、いかがわしい連中だといわれるようになります。法然教団の何人かが宮廷の女官に専修念仏を教え、尼さんにさせてしまうという事件もあったようで、そのことが後鳥羽上皇の怒りに触れます。法然教団の何人かと親鸞は捕えられ、法然は讃岐に、親鸞は越後、いまでいう上越市のあたりに流されます。親鸞は元は京都の人です。母親は皇女だといわれていて、はっきりとはしていないようですが、位の高い血筋の人だったようです。京都の人だった親鸞が、当時は地の果てのような新潟の上越に流されてしまいます。

五年間越後で暮らすのですが、その間、親鸞は専修念仏だけではなく、非常に大事なことを考えるのです。吉本さんも書いていますが、それは非僧非俗ということです。念仏を教え、往生について語る自分は必ずしも僧侶である必要はない、僧に非ず、つまり非僧です。では僧侶をやめて俗に入るのかというと、俗にも入らない、俗に非ず、つまり非俗です。そういう考えをもつにいたります。そして恵信尼という人と妻帯し、子どももうけます。平安仏教からすれば、とても考えられないことです。法然は妻帯までは考えなかったのですが、親鸞はそこまでやるのです。

なぜ、そこまでやるのでしょうか。吉本さんもくり返し書いていますが、平安時代の後期から鎌倉時代にかけて、隠者といいますか、山の中に小さな庵を作って、そこで色々なことを考えたり文章を書いたりする人たちが出てきます。『方丈記』の鴨長明もその一人ですし、歌人だった西行、他にもいるのですが、この二人がよく知られています。吉本さんは、親鸞も隠者の一人だと考えるといいと書いています。最澄や空海が作った平安仏教は非常に優れた仏教だったのですが、親鸞は非僧ということで、そういう仏教をやめてしまいます。

宗教教団になると、どうしても上下関係ができ、位の高い低いができてしまいます。親鸞はそういうものをやめようとしたのですが、後々、浄土真宗の開祖ということになり、東本願寺という大きなお寺と教団がつくられます。だからいくら親鸞がやめようとしても、宗教の教団はそうなっていくのです。最澄も空海も、最初は無一物のところから仏教を考えたのですが、いつの間にか天台宗も真言宗も大きな組織になって、階層ができて、多く学問をし、たくさん修行をした人が偉いということになっていきます。どうしてもそうなるのです。親鸞は、そういうものはほんとうの教えではないと考え、それが非僧非俗という考えになっていくのです。

そこには、先ほどの〈非知〉の問題、「悪人」の問題が込められています。

これは、親鸞ではなく、西行について考えても同じことがいえます。北面の武士だった佐藤義清（のりきよ）が、なぜ世を捨てて西行と名乗り、旅を境涯としたのでしょうか。それは、西行の残した和歌を読んでみればわかります。西行は『新古今和歌集』に最も多く歌が採られている優れた歌人なのですが、藤原定家をはじめなぜ多くの人々から高く評価されていたかというと、歌がうまいからだけではなく、彼の生き方に、貴族でも武士でもなく、ただの民でもない、いってみれば「非」ということを貫き通したということがあるからなのです。そういう存在として、「倫理（エートス）」の問題を一貫して問い続けました。

ましてまして悟る思ひはほかならじ吾が歎きをばわれ知るなれば
まどひきてさとりうべくもなかりつる心を知るは心なりけり
心から心に物を思はせて身を苦しむる我身なりけれ
見るも憂しいかにかすべき我心かかる報いの罪やありける

小林秀雄は、こういう西行の歌について「自意識が彼の最大の煩悩だった」といっていますが（『無常という事』）、「いかにかすべき我心」というのは、「倫理（エートス）」の問題を問い続ける自分に返ってくる言葉ということができます。

つまり、西行もまた「悪人」とは何者なのか、〈非知〉とは何かという問いを問うているのです。ここで煩悩にさいなまれている我が心を、西行はまちがいなく〈非知〉として、さらには〈悪〉としてとらえていることが分かります。親鸞もまた、みずからを「非僧非俗」とみなしたとき、このような西行の思いをもっていたということができます。仏教教団の階層を上りつめるとか、学問を積み上げるとか、重ねて修業を積むといったことをすべてやめてしまうという事は、さまざまな事態に遭遇して「いかにかすべき我心」と問い続けるということなのです。

非僧非俗と「自立の思想」

吉本隆明が活動した戦後は、いくら民主主義の世の中で自由だといわれても、アカデミズムの派閥とか、組織の上下関係とか、そこからのがれられないところがあります。しかし吉本さんは、アカデミズムや派閥や組織には一切属しませんでした。そういうところに自分を立たせて活動をしてきた思想家です。

これは親鸞に学んでいるところがありますが、なかなかできないことなのです。優れた人というのは、自分がやりたいとは思わなくても後ろから押されて、いつの間にか組織に入り、自分では画策しないのに、持ち上げる人が出てくるのです。持ち上げられているうちに上に行ってしまいます。自分はやらないで、持ち上げられるだけだからいいのではないか、ともいえますが、吉本隆明はそれも絶対にやりません。そこは徹底しています。

最近の話題では、日本学術会議の問題があります。政府が一定の学者たちの推薦を拒否したということで問題になりました。ある思想傾向の人を権力が排除していくということは、あってはならないことです。

でも私は、日本学術会議というのはいったい何かということを考えるのです。当時日本学術会議があったかどうかは分かりませんが、吉本さんは、日本学術会議のような組織には入りません、アカデミズムには絶対に加わりません。そういう姿勢を貫き通しているということが、最初にお話しした非知、知ではないものにどこまで到達できるか、ということの第一歩だと思います。

自分の目標は非知に到達することだといっておきながら、アカデミズムに加わり、知を上り詰めるようなことをしてはまずいわけです。自分にはそんなつもりはなくても、とても優れた人ですし、たくさんの人に影響を与えていますし、論じる人も何人もいるわけですから、いつの間にか吉本派のようなものがつくられ、その最上階に祭り上げられていきます。

しかしそれは、吉本隆明の思想とはまったく関係のないことです。非知に到達すること、大衆の原像とは何かを問い続けること、それを自分の思想の課題とすること、それだけが問題なのです。こうした点は親鸞も同じです。親鸞も優れた人ですから、持ち上げられるのです。持ち上げられたまま教団を作り、上に上がっていくというのでは、「善人なおもて往生をとぐ、いわんや悪人をや」

という「悪人」の所に行くことはできない、そういう考えを強くもっていたのです。

親鸞は、五年間越後で暮らした後、赦免されます。その間に恵信尼と出会い、妻帯し、七人の子をもうけますが、赦免されたとなれば、妻子を越後に残してひとまず京に戻るということがあってもおかしくありません。ですが、京に帰ることなく、常陸の国、いまの茨城県で布教をします。

法然も赦免されますが、法然は京都に戻るのです。法然は八〇歳ほどの年齢で、もう先が長くはないと分かっていましたし、その後、一年くらいで亡くなっています。でも親鸞はまだ四〇歳になるかならないかでしたから、法然と京に戻り、法然の後を継いで浄土宗教団のトップになって、教団を大きくするような活動をしてもよかったはずです。

が、それはやらないということが親鸞の信念です。だから京には戻らない。戻らないと決めた時点で、浄土宗の新しい教団はつくらないと考え、常陸の国に行き、布教をするのです。

そこで何をやったかということですが、吉本さんは、この時代は飢饉や災害が次々に発生した時代で、老若男女、多くの人々が次々に死んでいく、そういう時代だったといっています。飢饉のなかにいる人々にとって仏教は無力だ、どうすればそういう人々に救いの手を差し延べることができるのか、親鸞はそのことを考えた、と吉本さんはいっています。

その通りなのです。その通りなのですけれど、私はこれを少し敷衍してみます。

コンパッションと東北人のエートス

二〇一一年の東日本大震災で、東北の人たちは大変な災厄を被りました。とても困窮した状態に陥ったのですが、そういう人たちが、宗教にすがらないと生きていけないところに追い込まれていたかといいますと、だいたいの人は、お互いで助け合っているのです。東北人のもつ何ともいえない慈愛といいますか、どれほど辛いところに追いつめられても、もっと辛い人たちがいる、そういう人たちに手を差し延べることのほうが大事だという考えを非常に強くもっています。

これが、世界中で話題になりました。日本人は、ここまで自分よりも人のことを先に考える、あるいは自分よりももっと困っている人達のことを先に考える人たちだったのかというふうに、称賛の声が出てきました。でもすぐに忘れられてしまいました。

ところが、今度の新型コロナウィルスで、またそれが出てきました。医療従事者の人たちは何だろう、自分たちが感染して、重症化する危険があるにもかかわらず、多くの医師や看護師さんたちは身を粉にして患者さんにかかわっている、それが多くの人の心に訴えかけてきています。

感染した人に対する差別も聞こえますが、大々的なものではありません。差別されることの不安はあるが、自分は差別したくない、それよりも自分にできることがあったら何かしないではいられないという方がずっと多いのです。人を思い合うということが、また日本人全体のなかに出てきている、そういう状況があります。

飢餓はどうかというと、本当に食べられない状況になると人間は心底自己中心的になるといわれます。芥川龍之介の「羅生門」ではそのことが主題になっています。飢饉が発生し、多くの人が食べられないような状況になったときに、羅生門で女の髪の毛を抜き、それを売って生きながらえている老婆がいます。主人公はその老婆に、お前がそういうことをやるなら俺もやっていいのだなといって同じことをします。芥川は、そのような人間のエゴイズムを抉り出してみせます。

しかし、飢餓状態になれば人のことはどうでもいい、自分だけが生きながらえればいいということになるのかというと、私はそうではないと思うのです。東日本大震災のときにもかなり飢餓状態になっていたと思うのですが、自分だけが食べられればいいと考えるよりも、少しでも自分のものを分けてあげたいという考えが広がっていたのではないかと思うのです。

デザスター（disaster）と、コンパッション（compassion）という言葉がありますが、デザスターのなかではむしろコンパッションの気持ちが湧いてきます。デザスターは「災厄」、これに対してコンパッションは「同情」といわれます。でも、それだと上から憐れむような言葉になってしまうので、私は「共苦」といい直しています。相手の苦しみを自分の苦しみのように感じる、そして、苦しみを共にするという意味です。

飢饉や災害が頻発した平安時代の終わりから鎌倉時代にかけて、飢餓に陥った人たちをどう救うかという問題が出てきたとき、念仏を唱えればいいと親鸞がいったとします。その際に「善人なおもて往生をとぐ、いわんや悪人をや」という言葉が発せられます。では「飢餓に陥った人たち」は「悪人」で、そういう人々こそが救われるのだということを親鸞はいおうとしたのでしょうか。

確かにそうではあるのですが、ここはもう少し深く考えてみないといけないのです。飢饉にあって苦しんでいる人たちは、ある意味で、親鸞の宗教がなくても、自分たちに流れているエートスで、癒されるということがあったと思うのです。自分がどんなに苦しんでいても、自分よりも苦しんでいる人に手を差し延べるという思いを持っていたからです。それが、「羅生門」の舞台の京都ではなく、越後の国、常陸の国といった東国なのですから、そういう思いは、顕著だったのではないでしょうか。

私は、東北人のエートスという言い方をしましたが、それは日本人といいますか、人間がもともと持っているエートスだと思うのです。

親鸞は、東国でそういう人々に出会って何があったかというと「悪人なおもて往生をとぐ、いわんや善人をや」といわれるときの「善人」とはこういう人々のことだったのかということに気がついたのではないかと思うのです。つまり、コンパッションを知らず知らずに身に着けた人々は、善を積むことも念仏を唱えることもすることなく、おのずから救われるということに気がついたわけです。

しかし、親鸞はそれだけでは思いは到ったとはいえないと考えます。この考えをさらに突き詰めないといけない、「善人なおもて往生をとぐ、いわんや悪人をや」とまでいわないといけないと考えました。彼らのようなコンパッションであふれた人々は、おのずから救われるのだから、彼らのようではない人々も救われないといけないと考えたわけです。

ただ、親鸞は最初、彼らのようでない人々をすぐに「悪人」とは考えなかったのではないでしょうか。「悪人」というよりも、最も辛い立場に追いやられた人々、「善人」といわれる人々のコンパッションでは、容易に救われることのない人々といえます。そういう人々が救われないと、念仏には何の意味もないと考えたのです。

それは、たとえば折口信夫のいう流浪するほかない人、顔のくずれた行路病者、日影を追ってあくがれ出る離魂女といったような人々といえます。折口は、そういう人々のもとに「まれびと」はやってくるといったのですが、そういう発想のもとには、親鸞の悪人正機説が影を落としていると私は考えています。悪人正機説を、最も辛い立場に追いやられた人々でも、往生は必定だという考えから導かれたものと考えればということです。

　現代思想でも、こういう問題はくりかえし問われています。ハンナ・アレントは、ギリシアのポリスにパブリックという理念を見出しますが、それはそれ自体であるのではなく、ポリスに相対するものとしてのオイコスから照らし出されるものとしてあるのだといいます。そして、オイコスにあるのはプライベートというものであって、それは「奪われた（privé）生」によってかたちづくられている、真の公共空間を成り立たせるためには、この「奪われた生」をどのように容れることができるかを考えていかなければならないというわけです。

　アレントの思想を継承したジョルジョ・アガンベンは、ナチスの強制収容所で最も虐げられたユダヤ人を問題にします。彼らをムーゼルマンという言葉でいうのですが、それは、ユダヤ人たちからも「イスラム教徒」の俗称で差別された人々のことだといいます。ムーゼルマンは、礼拝に際してひざまずき、手をバタンバタンとするイスラム教徒のような動作しかすることができなくなったユダヤ人のことです。

　さらに、アガンベンは、古代ローマ法の中に見出される、人間の特殊なカテゴリーとして「聖なる人間（ホモ・サケル）」というのを問題にします。ホモ・サケルとは、その人物を殺しても罰せられない、その人物を供犠に用いることができない、そういう存在だといいます。このようなホモ・サケルに表象されている受動的な生に、公共性の空間を開く重要な鍵があるというのが、アガンベンの考えといえます。

こうして考えてゆくと、古代ギリシアやローマ、さらには現代のアウシュヴィッツといった状況と、親鸞の生きた鎌倉初期の状況とを重ねることができないことはないと思われてきます。アレントや、アガンベンが真の公共空間と呼んでいるのを、親鸞は往生という言葉で述べているといえます。

往生というのは、極楽往生という言葉から類推されるような死後の生をいうだけではありません。いま・ここにおいて最も虐げられた生がどのようにすれば救われるのかという問いとともにあらわれてくる理念といえます。親鸞は、この往生ということを最も虐げられた人々、アレントのいう「奪われた生」、アガンベンのいう「ムーゼルマン」「ホモ・サケル」といった人々にいうわけですが、さらに次のようにもいうわけです。そういう人々でも往生するのだから「悪人」が往生しないわけはない、と。

そこまでいうときの「悪人」とは何でしょうか。そのことを考えたいのですが、吉本さんは、『最後の親鸞』でなかなかそういうことはいわないのです。いわないのですが、「知の最後の課題は、そのまま寂かに〈非知〉に向かって着地することだ」といういいかたで匂わせているのです。

まずコンパッションをおのずから身につけた東国の人々、さらには、「流浪するほかない人」や「顔のくずれた行路病者」といった最も差別され、虐げられた人々、そういう人々に「着地」することが知の課題だととってみてください。さらには、彼らが往生するなら、「悪人」が往生しないわけはないといった時の「悪人」に着地することが、知の最後の最後の課題であるととるならばどうでしょうか。吉本さんの『最後の親鸞』はそのことを問うているように、私には思えるのです。

親鸞、流罪のなかでの問い

そこで、親鸞が東国に流されたときに、自分のなかに何があったかということを考えてみます。どうして法然の専修念仏を信じていたのに、島流しなどに遭うことになるのか、これは理不尽ではないか、法然もそう思っていたはずです。後鳥羽上皇の怒りに火をつけたのは、興福寺や元々の平安仏教の僧侶たちです。そういう輩が専修念仏を壊滅させるために、後鳥羽上皇をけしかけて、完全に放逐することを考えた、そして法然と親鸞は島流しにあったわけですが、親鸞は納得できません。

親鸞は、後鳥羽上皇をはじめ、既成仏教の連中とどう対峙するかということを考えます。一つは、これから専修念仏の考えを広め、大きな教団を作って、既成仏教を完全に凌いでいく、天台宗も真言宗も手の届かないような大教団を作っていく、そのことによって恨みを晴らす。

後鳥羽上皇に対しても、とても強い恨みを持っています。なぜあれだけの優れた帝王といわれる後鳥羽上皇が、島流しなどという裁断を下したのか、優れた帝王などといわれているが、既成仏教に唆されて、仏教が何であるかを真剣に考えたことのない、ただの権力者にしかすぎないではないか、そのことを暴き立てていく、五年間、島流しに遭っている間、親鸞は既成仏教との闘いと、後鳥羽上皇に象徴される権力との闘いを考えたと思うのです。

五年間、越後で『教行信証』に取り組みながら、そのことをずっと考えていたといえます。考えていった果てに、それをやっても無駄だ、そう思ったと思うのです。なぜ無駄かというと、大教団を作り、後鳥羽上皇のような権力者を暴いていこうと考えている自分自身は「悪人」だからなのです。

教団を広げ、権力を打ち倒すことは、生産的なことではないかと思うのですが、そうではないのです。そこには既成仏教と後鳥羽上皇に対する恨みがあります。恨みを晴らそうと考えている自分は「悪人」以外のなにものでもありません。そうすると、この「悪人」である自分をどのようにして救うかという問題が迫ってきます。他の人間よりもまず、自己救済しなくてはならないということになったのです。

比叡山に行って修行をし、六角堂に一〇〇日間籠って聖徳太子と夢でまみえ、法然に出会い、専修念仏の考えを知ることになったのでした。これで自分は、これから進むべき道をえたと思ったはずでした。思ったはずでしたが、島流しにあったことで、既成仏教や後鳥羽上皇に対するなんともいえない思いが出てきます。そのことを何とかしないかぎり、これまでの仏教に対する考え方はすべて無に帰してしまいます。自分のなかの恨みをどうするかということが、五年間の、親鸞の大きな関心事になったのです。

恨みを抱いている自分自身が、まず救われないといけない。すると次は、そういう人間こそが救われないといけない、という考えが出てくると思うのです。親鸞にとっての衆生は、これは吉本隆明にとっては大衆ですが、飢饉や天災にあっても恨み一つも持たないで、むしろほかの人のことを考える人達です。

東日本大震災のときに東北の人たちは、なぜ自分たちだけがこんな災害に遭わないといけないのか、何でこんな災害が起きるのか、なぜ何もしてくれないのか、そう思って、政府の方に恨みの目を向けるということは決してしませんでした。むしろ、もっと困っている人たちに目を向けていくというエートスを持っていたのです。

すると親鸞も東国の人たちにそういうエートスを感じ、自分には後鳥羽上皇や既成仏教に対する恨みがあるのに、この人たちはそうしたものを持っていないではないか、東国の衆生は黙っていても救われているではないか、救われていないのは自分の方ではないか、そう考えるようになったと思うのです。

念仏は人を救うか――自力と他力の問題

では、宗教はなくてもいいのでしょうか。そうではありません。いろいろな人と出会い、念仏の話をすると、東国の人はもともとコンパッションをもっていますから、南無阿弥陀仏と唱えるだけで救われるという話は、すぐに受け入れられていったといえます。自分よりももっと苦しい人のことに目が向いてしまうということは、念仏を唱えるだけで、何もしなくても往生できるということです。親鸞はそういう人たちに会ったと思うのです。

ところが、一方で、彼らのコンパッションによっても救われることのない人々がいることにも気がついていきます。それは、まさに流浪するほかない人、顔のくずれた行路病者、日影を追ってあくがれ出る離魂女といった人々です。先ほど問題にした最も差別され、虐げられた人々です。そういう存在も往生する、そう親鸞は考えます。

なぜ、そういう人々も往生すると考えたか。先ほど、アーレントやアガンベンが、アテネのオイコスで奪われた生を生きざるをえない人々や、ローマでホモ・サケルといわれて、その存在を殺しても罪に問われないような人々との間にいかにして公共空間を成り立たせることができるかを考えたといいました。親鸞も同じように、ほかい人や、行路病者や、離魂女、さらには餓鬼阿弥という名で呼ばれていた者たちに出会っていくなかで、彼らがどうすれば往生するかを考えていった。

そのとき、彼らのように最も差別され、虐げられた人々の背後には、彼らを差別し、虐げることに何の痛痒も感じない人々がいるということに気がつくわけです。そういう人々は、決まって自分自身のいまある境遇を受け容れることができない、端的にいって自分のなかの恨みからのがれられない。そういう存在も往生するのかと問うていった末に、最も虐げられた人々も往生するのならば、彼らのような者たちも往生しないはずはない、と考えます。

そうすると、この恨みつらみからのがれられない人というのが、たとえ東国でも一〇〇人に一人とか、そのくらいの割合でいたと考えられます。自分と同じように理不尽な目にあったから、それをもたらしたものへの恨みを絶やすことができないというだけではなく、自分自身の存在が理不尽であるということから、目を逸らすことができない人といえばいいでしょうか。

さらには、人を理不尽な目に合わせることを何とも思わず、むしろそれがその人間の存在理由になっているような者。ときには、そういう者が力を握っているため、村の人たちが悪に染まってしまうというケースもなかったとはいえません。親鸞はそういう「悪人」にも出会ったといえます。

そこで親鸞は、この「悪人」を救わないといけない、と考えたのです。なぜそう考えたかというと、後鳥羽上皇や既成仏教を恨んでいる自分自身を救わないといけないからです。そうしないと自分の仏教は成り立っていきません。自分たちだけがなぜこれほど苦しまなければならないのか、誰かのせいだ、富を蓄えている人から少しくらいは分捕ってもいい、そんなふうに自分の境遇の理不尽さだけに眼が行って、そのために人に対してむやみに攻撃的になっていく、そういう「悪人」を救わなければ、どうしようもない、親鸞はそう考えたのです。

吉本さんも、そういう考えを滲ませているのです。どこで滲ませているかと問われると、ここに書かれていると具体的に指摘することはできないのですが、文章を読んでいくとそう感じられるのです。そのことについては、追い追い明かしていくことにして、ここで少し自分の話をしてみましょう。

吉本さんが『最後の親鸞』を書いたとき、私は三〇代の半ば頃で、最初の漱石論と詩人論を二年くらいで集中的に書いた時期だったのです。休みなく仕事をしていたせいか、ストレスがたまり、少し精神的に追い込まれた気分になっていました。

ちょうどその頃に、吉本さんのもっともすぐれたお弟子さんの宮城賢さんが統合失調症になるのです。そのことを『試行』に連載し、本（『病後の風信』弓立社）にしました。それを読んだとき、自分もいつ統合失調症になるかもしれないという恐怖に襲われ、うつ病になってしまいます。三六歳でしたが、まったく眠れない日が幾日も続きました。暗い考えばかりもつようになり、自殺しようと思いました。

これはもうどうしようもないと思って、ある編集者に紹介してもらって、吉本さんの所に訪ねていくのです。私はそのとき、南無阿弥陀仏と唱えれば救われるかもしれない、そう考えて、明け方まで南無阿弥陀仏とずっと唱えていました。でも全然眠りはやってこないし、まったく救われた気分になりません。親鸞が、念仏をすれば救われるといっているけれど、それは嘘ではないか。吉本さんが『最後の親鸞』に書いていることは嘘ではないかと思って、訪ねたときに、そのことを直接吉本さんにぶつけたのです。

吉本さんが何と答えたと思いますか。この人は修行が足りないと思ったのか、そのことには何も答えてくれませんでした。代わりに「あなた、病院に行ったの」と聞くのです。「いや、行っていないです。念仏で治そうと思いました」というと、「そんなバカなことはないでしょ。念仏でそういう病気が治るなんていうことはないんだから、病院に行かないとだめですよ。いまはうつ病でも統合失調症でも、いい医師について薬をちゃんと処方してもらって、治療してもらう。これが一番大事なことです」というのです。

でも私は薬アレルギーで、薬は飲みたくないのです。特に睡眠剤とか抗うつ剤とかは、飲みたくないのです。私がそういうと、吉本さんは「いや、それはだめですよ。飲まないでいると、どんどん悪くなりますよ」というのです。

「私は偏頭痛というか、頭痛がものすごいんですよ」と吉本さんは話してくれました。「夜中じゅう資料を読んで原稿を書いていると、ひどくなるんです、そのあいだ、頭痛薬をがりがり噛んで飲んでいるんですよ」といって、薬を見せてくれました。「そうすると少し収まってきます。そうやって書いているんです」と。「だから神山さん、あなたも睡眠薬や抗うつ剤を飲まないとだめですよ」といわれました。ああ、そうだとほんとうに思って、それで病院に行きました。

私の住んでいるところに大学病院の精神科があるのですが、夜中の三時ごろ、その救急病棟に電話をして、眠れないいし、うつ状態だし大変辛い、何とか助けてくださいって、看護師さんに話をしたことがありました。すごく優しい声で「すぐに病院に来てください」といわれたのです。私と対談をした米沢慧さんによると(『ファミリィ・トライアングル』春秋社)、そういうときの看護師さんは「あなたはひとりぼっちではありません」、そういう気持ちで、電話してきた人に答えてくれるというのです。私もまさにそうでした。それで救われました。

でもやっぱり病院に行かないと、ほんとうのところは救われないのです。それで、大学病院の精神科に行ったのです。医師に症状を話し、薬をもらい、約半年くらい治療をして、うつ状態から抜けることができました。その間、書くことや難しいことは考えないようにして、宮城さんは好きな詩人でしたが、読むのは止めました。そうやって薬を飲んで過ごしているうちに抜けたのです。

そこで考えたのは、念仏を唱えてもだめだということでした。そのことは吉本さんも分かっていました、それでは念仏は全部だめかというと、そういうことはないはずなのです。念仏は大事なのです。でも、私のそういううつ病の状態では、念仏で救われる段階ではないのです。もっとひどい状態があるのです。

『最後の親鸞』の話でいうと、自分がどんなにひどい状態にあるかということも分からない状態といえます。自分は頭の病気で自殺するしかないと思っているときに唱える念仏は、ほんとうの念仏ではないのです。自力と他力という考えがありますが、その時は自力なのです。でも、念仏は他力本願といって、自分の力で往生するのではなく、阿弥陀様が救いの手を差し延べてくれるというものなのです。そこでは、自力の考えが入ってはだめなのです。自力の最たるものが修行、それから仏教の学問、それから、救われようと一心に念じることです。

だから親鸞はそれをすべてやめたのです。いくら修行をしても、いくら学問を積んでも、さらにはどんなに念じても、悟りはやってこない、「地獄は一定住みかぞかし（地獄のほかには行き場がない）」と、親鸞はいっています。何をやっても救われないこの自分は、もはや、地獄しか行くところがないと『歎異抄』に書かれています。

『歎異抄』について

『歎異抄』は非常に優れた本です。文章も優れていますし、親鸞の言葉も簡潔でとてもいいのですが、これを書いた唯円は、親鸞がもっと大事なことをいおうとしたのに、それをいえていないのではないか、と思われることがなきにしもあらずです。「地獄は一定住みかぞかし」といい、だからこそ救いがやってくるというのですが、ここには飛躍があるのです。私も不眠症とうつ病になって、これは地獄だと思いました。

「地獄は一定住みかぞかし」と思って念仏を唱えたけれども、まったく救われませんでした。『歎異抄』には念仏を唱えて往生するようなことが書かれているのですが、そうではないのです。もうだめだ、何をやってもだめだ、南無阿弥陀仏を唱えるしかないと思って念仏を唱えたとしても、それ自体が自力だからです。

吉本さんは、親鸞が最後に到達した思想は、全部やめてしまうということだった、最終的には念仏もやめて、あるがままにまかせるということだったと書いています。それを「自然法爾」というのですが、あるがままというのは、老子のいう無為自然ということではありません。自力をすべてやめてしまって、自分が陥っている地獄に何もできないままでいる、そういう状態になったときこそ往生はやってくる、ということです。

ただ、その時には自分が往生しているといった踊躍歓喜するような思いもありません。信じるとか救われるというのは、そういうことだといえます。

私が吉本さんの所に行って、「念仏を唱えても救われないです」といったとき、吉本さんも、そのことは考えていたと思うのです。でも、話してくれませんでした。「それは自力ですよ」と思想の話をするのではなく、「病院に行きなさい、薬を飲みなさい、病気を治しなさい」と、口を酸っぱくしていってくれたのです。それでよかったのです。

南無阿弥陀仏は自力ですということは本に書いてある。だから、それを話すよりも、実際の処方を話したほうがいいと判断されたのでしょう。自分の頭痛薬を出してきて、「これをがりがり噛んでいるんですよ」と話してくれました。私は、自分の本をお贈りしていたので、名前くらいは知っていてくれたかもしれませんが、初めて会った読者にそういう話をしてくれるというのは、ほんとうにありがたかったです。

吉本さんの親鸞は、唯円が『歎異抄』で書いている親鸞よりも、もう少し幅が広いのです。先ほど、南無阿弥陀仏は自力だといいました。では南無阿弥陀仏は唱えなくていいのか、必要ないのかというと、そんなことはありません。念仏は唱えるのです。ただ、そこで何かに気がつくと思うのです。

私はいくら南無阿弥陀仏を唱えても、不眠症やうつ病から回復できませんでした。その後、念仏を唱えても治らなかったということでわかったのは、それはまだ地獄ではなかったということです。もっと深い地獄に落ちている人たちがいるのです。私は薬をもらい、治療をして治ったのですが、治療をいくらしても治らない人たちがいます。薬の量も増えていきます。そして薬中毒になってしまいます。そういう重度のうつ病で、最後は自殺してしまうような人がいるのです。

その人から比べれば、私のうつ病は軽症だったのです。南無阿弥陀仏を唱えながら知っていくことは、自分よりももっとひどいところに落ちている人がいる、自分よりも辛い思いをしている人たちがいる、その人たちに目が届いていくということです。

苦しんでいるときには、自分の苦しみだけに集中します。それは、仕方のないことなのですが、でもそうではないのです。地獄の苦しみを味わっているように見えても、それはまだ地獄とはいえない、もっともっと苦しい、地獄とも名づけることさえできないような苦しみのなかにいる人たちがいる、そのことに気がつくということ、南無阿弥陀仏を唱えることによってそのことに気がついていくということが「地獄は一定住みかぞかし」という言葉の大事なところなのです。

往相還相と「悪人」の問題

『最後の親鸞』で、信とは何かということが問われています。最後は南無阿弥陀仏を唱えなくても、あるがままでいればいい、あるがままでいることのなかに、信じる心がわきあがってくる、それが大事だと吉本さんはいっています。

これを先ほどいった「自然法爾」という言葉に照らし合わせると、次のようにいえます。信じるということは、いくら南無阿弥陀仏を唱えても踊躍歓喜の心が起こってこない、それどころか、この地獄は一層深まるばかりだという状態を受け容れるということです。

唯円の言葉のなかに、いくら念仏を唱えても、躍り上がらんばかりの喜びが湧いてこないのはどうしてか、そう尋ねるところがあります（「念仏申し候えども、踊躍歓喜の心おろそかに候こと、また急ぎ浄土へ参りたき心の候わぬは、いかにと候べきことにて候やらん」（『歎異抄』）。すると親鸞は、往生できない、歓喜が湧いてこないというけれども、そうやって喜びが湧かないからこそ、往生は間違いないのだと答えたと唯円はいいます。

その通りなのですが、親鸞はもう少しいいたかったと思うのです。どんなに信じようとしても、実際には何も起こらない、この苦しみはどこまでも続く、信じてもどうにもならないではないか、と思いたくなるが、それでも念仏を絶やさない、いや、苦しくてもう何も信じることはできないというその同じ口を、念仏がおのずからついてくるといったありかたこそが、信じるということだと親鸞はいおうとしたと思うのです。

もう一つは、南無阿弥陀仏を唱えているあいだ、自分の煩悩に向き合っているだけでは、信じるということにはならない、自分以上にもっともっと苦しんでいて、往生などまったくできないでいる人たちがいるということを心の中から絶やさない、それが信じるということではないか、浄土へ行ったとしても往ききりではなく、またこの俗世に還ってこなければならない、また苦海に投げ出されてしまう、阿弥陀如来は、そうしてこの自分に試練をあたえる、そのことを受け容れるということ、そして、還って来たときには、自分のようには浄土に往くことなどできないでいる人々がいるということを心に刻み込む、それが、信じるということではないでしょうか。

往相（おうそう）と還相（げんそう）、往って還ってくるということを吉本さんはくり返しいっているのですが、吉本さんがそういった時には、「知」の頂を登りつめそのまましずかに「非知」へと着地するということが含意されています。そして、「しずかに着地する」というのは、自分もまた「非知」そのものとして「非知」へと着地するということなのです。そのとき、衆生を救うというモティーフが出てきますが、それは「知」の頂から手を延べるということではなく、頂に登りつめたものの結局は、もう一度「非知」へと還された者として、「非知」に向き合うということにほかなりません。

それは親鸞が東国に行って、飢餓や天災で苦しんでいる衆生に出会うなかで、この人たちは仏教など何も知らないのに、どうしてコンパッションをもっているのかと考え、一番大事なことは、この人たちのもっているエートスを、念仏のかたちにすることだ、そのためには、この人たちのコンパッションの向こうまで自分をおもむかせてみなければならないと考えたということに通じます。

そう考えた時に、自分は、六角堂に一〇〇日間籠り、聖徳太子のお告げにあって、専修念仏を会得したつもりだったのだが、実際には、もう一度苦海へと投げ出されていたのだということに気づくのです。

つまり、島流しというのは、親鸞にとって、浄土へと往ったつもりだったのが、あらためて俗世に還ってくるような体験だったといえます。そういうなかで、親鸞は、自分を陥れた既成仏教の輩や後鳥羽上皇への恨みに向き合っていくわけです。

そして、そのような自分に救いがやってこないならば念仏には何の意味もないという、不信と紙一重のところまで連れ去られます。その不信と紙一重のところから、東北の飢餓や天災のなかで、自分よりも人のことを先に考える人がいる一方で、人を恨んだり妬んだりする人たちがいる、その人たちによって村全体が「悪」の心で染められてしまうことがある、そういう「悪人」にも、往生はやってくるのかという問いに出会っていったのだと思うのです。

なぜ「悪人」こそが救われるのか

ある雑誌が、「コロナ禍のさなかに［いま読みたい、この一冊この一篇］」という特集を組みました。そこで、『最後の親鸞』について書いたのですが（「『還って来た者』の言葉」本書所収）、そのなかに次のような一節があります。

『最後の親鸞』は、吉本隆明の著作の中でも避けて通ることのできない一冊です。その理由は、親鸞の思想を『歎異抄』と『教行信証』から読み取るに当たって、ある普遍的な問題から――

照らし出そうとしているからです。それは、人間が背負わされる不条理ということと、悪を犯した人間はどこまでゆるされるのかということです。この問題は後に、吉本隆明の戦争観に形を変えてあらわれます。

「善人なおもて往生を遂ぐ、いわんや悪人をや」(『歎異抄』)は、親鸞の言葉として広く知られています。一般に悪人正機説といわれるこの言葉によって、親鸞は何をいおうとしたのでしょうか。「善人でさえ往生を遂げるのだから、悪人が往生しないはずはない」といったとき、親鸞はまず、「往生しないはずはない」者たちのことを念頭におきました。それは、どんなに善いことをしようと、報われることなく、むしろ、不幸に見舞われるような人間をいいます。

たとえば、自分よりも相手のことを先にして、辛い立場にいる者への気遣いを忘れないような人間。一見、こういう人間は、善人といえそうなのですが、えてして、そのような人間が、思いもかけない不幸に見舞われます。親鸞は、だからこそ、彼らが往生しないはずはないのだと考えたのです。さらに、気遣いや配慮を忘れない人間だけでなく、端的に、不遇な人間、自分に何の落ち度もないはずなのに災厄に会う人間、そういう者たちこそ救われなければならないのだと親鸞は考えました。

親鸞は、なぜそういうことを考えたかというと、不遇な人間というのは、えてして自分の不遇を誰かのせいにし、挙句は他者に攻撃的になる場合がある、彼らに往生の道を見出してやらないならば、最終的に、人を害したり、殺し合いへとかたむいていかないとは限らないからです。

自分のこと以外に関心がなく、なぜ自分はこんな目に遭ったのだということばかり考え、相手がどうなってもいいと考える人間は、非常に攻撃的になる可能性があります。いつの間にかそういう人間に染まった人たちが、集団になって悪をはたらくということも十分ありえます。

歴史の中で、非常に攻撃的な集団は、根のところに恨みつらみからのがれられない思いを心の中にたえず宿しています。それが権力をもったときには、敵対する相手を徹底的にたたきつけます。たとえば、アウシュヴィッツの大虐殺を行ったナチス。地下鉄にサリンを撒いたオウム真理教教団。二〇〇一年に同時多発テロ事件を起こしたアルカイダ。ヒトラー、麻原彰晃、ビン・ラディンと挙げていくならば、そのことは一層明らかになります。

親鸞の生きた時代にそういう人物や集団が存在したということではありません。人間の倫理(エートス)について考えていくと、必ずそういう脅威の他者、脅威の集団というのが問題になります。彼らのなかの、みずからの不遇にいたたまれなさを感じずにいられない思いにいたりつきます。だから、コンパッションを持っている人間以上に救われないといけないのは、不遇のために相手に攻撃的になるような人たちだといえるわけです。

「機縁・業縁」と関係の絶対性

このことを、私は、「『還って来た者』の言葉」のなかで、次のように述べました。

たとえば、親鸞は、『歎異抄』を著した唯円に向かって、人を千人殺してみなさいといいます。これに対して唯円は、わが身の器量では一人とて殺せそうにないとこたえます。そこで、親鸞は「わがこころのよくてころさぬにはあらず」と語るのですが、ここには、「悪」の者といわれる人間が、人を害したり、殺し合いへとかたむいていくのは、その者がみずからに負わされた不遇に耐えられないからだという考えが込められています。

これで分かると思いますが、ついでに「竹の葉先の微かな震え」（本書所収）という文章の次のような一節も見てみましょう。小説形式で書いたもので、「私」親鸞が、ヨブに「あなた」といって語りかける場面です。

> 私は、ぜひともその声に答えなければならないのだが、あるとき、唯円に対してこんなふうに話したことがある。
>
> あなたと同じ疑問に苦しめられ、まるで幽鬼のような姿で彼は私のもとにやって来た。彼が言うには、自分は善人であるとはとても思えないが、少なくとも、人に対して顔向けのできないようなことだけはしたことがない。それなのに、少しも往生を確信することができないのは、どうしたことだろうか。
>
> あなたのいうところでは、自分を憎む者の滅びることを喜び、災いが彼に降り掛かると、

勝ち誇ったようにする輩でさえも、往生は必定ということになるらしいが、それなら、殺したいほどに憎らしい相手を現に殺してしまうような人間、さらには、自分の中で、どうしても拭うことのできない屈折した思いをもてあましたあげく、何の関係もない者を手ごめにし、惨殺するような人非人も往生は必定なのだろうか。

もしそうだとするなら、私がいまここに抱えている悩みや苦しみは、いったい何のためのものかと思ってしまう。むしろ、これほどまでに苦しみのたうっている私こそ、往生を約束されてしかるべきではないだろうか。

ここは唯円が、いくら念仏をしても勇躍歓喜の思いが湧いてこないといったときの言葉を、私が創作したところです。先生は、悪人は往生するとおっしゃっているけれども、なぜ自分はいつまでたっても往生できないのか。そういう問いを唯円は親鸞に突き付けているのです。それに対して親鸞はどう答えたでしょうか。

往生は、どんな人間にも必定だ。そして、人の不幸は計りがたい。たとえどんな人非人であろうと、彼の苦しみや不遇は決して人間の手で計ることはできない。だからこそ、そういう人間にもまた等しく往生はやって来る。

ここは大事なところです。アウシュヴィッツの大虐殺を行ったナチスのような者たち、これも往生するのでしょうか。親鸞の考えだと往生するのです。ここはヒトラーとか麻原彰晃のような人間を頭においてください。私などは麻原はどうしてもゆるすことはできないのですが、親鸞は、麻原の苦しみは人間の手では測ることはできない、そう考えているのです。そのことを、「竹の葉先の微かな震え」では、親鸞はこんなふうに語ります。

たとえば唯円よ、あなたは私のいうところを深く信じるか。信じるならば、いまここで千人の人を殺してみなさい。人非人でも往生を約束されているのに、自分の往生が確信できないのは理に合わないと言うなら、思い切って自分が人殺しの人非人になってみたらどうだろうか。そうすれば、きっと往生は約束されると思われるだろう。

そう言うと、唯円は驚いたようにこちらを見つめ即座に答えた。

仰せではありますが、この身の器量では、一人も殺せそうに思いません。

そこで、私はこう語ったのだ。

それで十分ではないか。何事も思いにまかせてなるものならば、往生のために千人を殺しなさいといえば、すぐにも殺すであろう。だが、殺そうという思いをかなえさせてくれる業縁があればこそ、それがなければ、ただの一人たりとも殺すことはできない。これでわかるように、自分の心が善であるから殺さないのではない。また、殺すまいと思っても、百人千人を殺すこともあるだろう。

もちろん、百人千人を殺すような人間の中には、殺すまいと思ってもやむを得ず殺してしまった者もいれば、はじめから殺そうとして、というよりも、殺さずにはいられない思いで殺した者もいる。だが、どちらにせよ、そこにはたらいているのが、機縁とも業縁ともいう不可思議なものであることだけはまちがいない。
自分の心が善いから殺さないのでも、悪いから殺すのでもなく、善悪を超えた何ものかによって、殺したり殺さなかったりするのではないか。そうであるからこそ、阿弥陀様は憐れみの心を起こしなされて、たとえ百人千人を綿密な計画のもとに殺しおおせた極悪非道の人非人であろうと、必ず往生すると誓われておられるのだ。

ここが、親鸞の一番いいたいところです。自分勝手で人のことはどうでもいいと思っている人間、これも救われる、それから、そういう人間に染まって集団をつくり、集団で悪を働く人間、これも救われる、さらに今度は、ドイツ民族の血を守るためにユダヤ人を虐殺する、そういう極悪集団、これも救われるのです、そういうふうに親鸞は考えているのです。先ほどの『還って来た者』の言葉」に戻って、その続きを見てみます。

吉本隆明は、「不可避」という言葉で、このことを説明しています。

ここまで来て、この現世的な世界は、たんに中心のない漂った世界ではなく、〈契機〉(「業縁」)を中心に展開される〈不可避〉の世界に転化する。(略)〈不可避〉の一筋道だけしか、生の前にひらけていない必然の構造をもつ世界がみえてくる。

〈契機〉（「業縁」）とは何でしょうか。人間はたとえどのような不条理に見舞われようと、弥陀の本願にあずかるということ、いいかえるならば、どのような不遇にある者も、「関係の絶対性」のもとでは必ずゆるされ、救われるということです。

「関係の絶対性」というのは、「マチウ書試論」という新約聖書のマタイ伝について書かれた吉本隆明の評論で使われた言葉です。イエスの言葉は、最終的には「関係の絶対性」のなかで初めて意味をあたえられる、といういい方をしています。親鸞の言葉もそうです。ナチスも麻原彰晃も救われるのかというと、それはとてもいえない、でも「関係の絶対性」というものをおいてみると救われるのです。「関係の絶対性」を仏教用語でいえば業縁です。もう少し見てみましょう。

それでは、地震や津波や疫病や飢饉といった災厄の犠牲になった者だけではなく、文字通り「悪」を行う者もまた、〈不可避〉の一筋道を行くといっていいのでしょうか。そう問うてみるのは、「悪人が往生しないはずはない」の「悪人」とは、言葉通り、「悪」を自分の思いのもとに行う人間とみなすことができるからです。

『教行信証』はなぜ書かれたのか

そこで、このような「悪人」について、親鸞が実際どう思っていたかを、『教行信証』から読み取ってみます。親鸞は、東国にあってすでにこれを書きはじめています。『教行信証』は仏教の様々な経典によりながら、仏の教えについて述べたものですが、膨大な経典のなかから、どこに注目しているのかが、読みどころではないかと思います。

私の考えでは、第三巻に当たる「信巻」の阿闍世（アジャセ）について述べているところが、もっとも重要といえます。そこで、親鸞は、『涅槃経』によりながら、父を殺害して王位についた阿闍世の罪について語ります。そのことについて書いた「『還って来た者』の言葉」をまた見てみましょう。

『教行信証』のなかで、親鸞は、父を殺して王位を手にした阿闍世の怖れとおののきを前に、罪はないと語りかける釈迦の姿を伝えた一節を、『涅槃経』からそのままに、一言もみずからの言葉をはさむことなく、長々と引用しています。その時の親鸞のなかには、阿闍世のような「悪人」もまた往生するという考えがあったのです。

ほんとうをいうならば、自分たちを弾圧し、死罪や流罪に処した後鳥羽院がなにゆえに弥陀の本願にあずかりうるのか、そのことを解き明かそうとして『教行信証』に手を染めた。そのゆるしがたさに震えていた親鸞、そういう者たちをもなお摂取するというのは頽廃以外の何ものでもないと憤っていた親鸞が、阿闍世に罪はないという釈迦の言葉をそのままに書き写します。そのとき、いったい親鸞は、釈迦の言葉に何を聞き取っていたのでしょうか。

釈迦もまた阿闍世に対して、この非道の者を到底ゆるすことができないという思いにとらえられ、そういう思いにとらえられてしまう自分の器量の無さに向き合って途方に暮れていたとき、ふいにどこからか声が聞こえてきた。それは〈父を殺した阿闍世に罪はない〉という言葉だったのではないでしょうか。

それは釈迦の言葉であって、釈迦の言葉ではない。いってみれば「浄土にまいりてのち衆生利益のために（この世に）還って」きた、いわば還相にある者の声ではなかったでしょうか。そう思ってみれば、「いはんや悪人をや」という親鸞の言葉と伝えられているあの言葉もまた、〈還って来た者〉の言葉にちがいありません。


釈迦自身が、阿闍世に罪はあるのか、と問うています。これは象徴的な人物であって、釈迦自身にも自分を苦しめた者に対する恨みつらみがあった、そういう人間がいたはずなのです。そういう苦しみからのがれらないというのが、釈迦自身にもあったはずなのです。そのことをどのようにして解決するかということを考えていったときに、阿闍世という当時の大悪人に罪はないという声を聴いた、それはいったん向こうに往って還って来た者の言葉だ、そんなふうに説明するしかないのです。

吉本さんはここまで考えることによって、人は「金剛心」をもって「横超」するという親鸞の言葉に実質を与えたのだと思うのです。そこに、オウム真理教事件のときに吉本さんが、麻原彰晃の罪を問わなかった理由が認められます。

「普通の人間」に何かできるか

私は麻原彰晃はとうてい認めることはできませんし、誰もが絶対にゆるせないと思います。でも吉本隆明だけは、麻原彰晃は仏教者として優れているということを頑としていい張ったのです。そのためにかなり激しいバッシングを受けました。サリンをまいたような大悪人である麻原彰晃をどういうふうに考えたらいいのか、まず、この人の宗教者としての価値を認めよう、そういういい方をしています。

私は、吉本さんはそれ以上のことを考えていたと思うのです。それは、『教行信証』のなかで、阿闍世に罪はないという釈迦の言葉をそのままに書き写している親鸞と同じような場所にいた、と思うからです。そのことを、私は「『還って来た者』の言葉」のなかで次のように書いています。

> そこには、オウム真理教事件の際に麻原彰晃を擁護した理由が認められるということもできます。普通であれば、このような悪の者をゆるしたならば、そのために、命を奪われた人間や、その家族にどのような言い訳がたつのかと問い詰められないとはかぎりません。それでも、そこまでいかなければ、人間が殺し合いをするという問題に向き合うことができないのだと吉本隆明は考えたのです。

まず苦しんでいる人たち、天変地異や飢餓にあって苦しんでいる人たちが救われないといけない、でもこの人たちはコンパッションを持っているから、おのずと救われる、では、天変地異や飢餓がなくとも、差別され虐げられた人たち、彼らはどのように救われるのか。折口信夫ならば、彼らの

もとにこそ「まれびと」がやってくるといいます。

　そうすると、最後の問題は、自分の境遇に納得できず、それを誰かのせいにして、恨みつらみからのがれられない人たちは、どうしたら救われるかという問題になります。この問題が切実なのは、親鸞自身が、自分を島流しにした者たちへの恨みからのがれられなかったからでした。それだけでなく、当時、東国の衆生のなかにそういう人たちがまちがいなくいたのです。そういう人たちと親鸞は出会っていくことによって、この人たちにどうやって往生を説いたらいいのかを考えたのだと思います。

『涅槃経』を読んでいくなかで、なぜ釈迦が阿闍世をゆるせるといったのか、自分の器量ではゆるせるとはいえない、でも往って、還って来たときには、自分の器量ではないものを持ってきている、それは自分には器量がないということを心底知らされるということでもある、そこまでいってようやく、極悪人でも往生できるということができる、そういうことを親鸞はいったのです。

　吉本さんもそのことを考えています。だから、『最後の親鸞』の最も注目すべき一節は「〈知識〉にとっての最後の課題は、頂きを極め、その頂きに人々を誘って蒙をひらくことではない。頂きを極め、その頂きから世界を見おろすことでもない。頂きを極め、そのまま寂かに〈非知〉に向かって着地することができればというのが、おおよそ、どんな種類の〈知〉にとっても最後の課題である」なのです。往って、還って来たとき、自分の器量ではどうしてもなれなかった〈非知〉に着地している、そういうことなのです。

　普通の人間の普通の感覚で、極悪人はゆるせません。極悪人に殺されたり大きな被害を受けたりした人間や家族はどう思うか、そういう問題がありますから。アウシュヴィッツのナチスはゆるせません。麻原彰晃にしてもそうです。そうなのですが、宗教はもう一つ別の答えを持っていなければいけません。新約聖書のイエスも「汝の敵を愛しなさい」といっています。釈迦もそうですし、親鸞もそうです。

釈迦が阿闍世をゆるせるのは、往って還って来た者だからだ、といういい方をしましたが、還って来た者は、もう一度苦海のただなかに投げ出されているのですから、この世の論理ではないものをもう一つ持っていないと収まらないのです。

この世の論理は「やられたものはやり返せ」ですが、でもそれだといつまでたっても収まらないわけです。コンパッションを持っている人間がいくらたくさんいても、「やられたらやり返せ」と考える人間が一人でもいて、それを実践する限り、収まりはつかないのです。

どうすれば収まるのかを教えてくれるのが、ほんとうの宗教です。それが親鸞の「悪人正機説」なのです。普通の人間もそれを実践しなさいということではなく、こういう考え方があるのだということを、親鸞は私たちに教えてくれたわけです。悪人をゆるすなどということはしなくてもいいですから、ただ、そういう人間がいるということを示して見せるのが、ほんとうの宗教ではないかと思うのです。

親鸞が東国に流された後、非僧非俗に徹したということは普通の人でもできそうです。組織のなかで地位を上げ、権力を握って牛耳っていくようなことはしない、それはできます。普通の人間というのはそれを実践している人たちです。そういう普通の人を、吉本さんは「大衆の原像」といっていますし、親鸞は「衆生」といっています。

「悪人正機説」は衆生である私たちには難しいのですが、衆生のコンパッションが根にあれば、「この世の論理ではないもの」を信じて生きていけるのではないかと思います。もちろん、信じるということは、どうしても信じることができないということと表裏一体ですから、そのこともふくめて、そうではないかと思うのです。

吉本隆明の原発論議について

最後になりましたが、吉本さんの思想には共感するが原発論議には、少し異論を感じるという方も多いと思います。悪人正機を掲げるのであれば、核兵器や原発の存在は肯定できないのではないかという考えです。これはある意味では、吉本隆明に関心のある方ならどなたでも抱く疑問ではないかと思います。

一九八一年、文学者による核兵器反対の署名運動が起こると、吉本さんはこれに真っ向から批判の矢を向けました。この批判をきっかけに、共産党や左翼系の文学者たちの核廃絶の考えに、『「反核」異論』を書いて反論しました。それだけでなく、一九八六年のチェルノブイリ事故から起こった反原発運動も批判の対象としました。

批判の根拠は、二つあります。一つ目は、どのような考えでも、それを署名運動とか共同声明といったかたちであらわすことには一切反対であるということです。二つ目は、核廃絶ということが、左翼的な正義として唱えられることには、大きな危惧をおぼえるということです。

それでは、日本が核兵器を持つような事態になっても、反対しないのかということになりますが、吉本さんには、国家が軍隊や兵器をもつということを肯んじないという理念がありますから、そういう事態がやって来た場合には、一個人として反対の態度を貫くでしょう。問題は、原子力発電所から生み出される核エネルギーをどうするかということです。東日本大震災で福島第一原子力発電所があれほど大きな事故を起こしたのに、それでもまだ原発を続けるのか。

これに対して吉本さんは、原発は続けるべきだ、といったのです。これは吉本さんの最後の言葉です。科学技術の高度化は止めることができない、高度化の過程で問題が起こったならば、さらに高度化した科学技術によって問題を克服していくほかないというのが、吉本さんの考えです。

ここは、難しいところです。先ほどの話で、私がうつ病になったとき、どうしたら救われるのだろうと尋ねたところ、医学を信じて薬に頼りなさいと熱心に説いてくれました。つまり吉本さんには基本的に、医学や科学は行くところまで行くという考えが根強くあるのです。それは、「遠隔対称性」という言葉でいわれるのですが、それでは、原発もそれでいいのか、原子力エネルギーを消費していくことに問題はないのかということになります。

たとえば、小林秀雄は核問題が起こるかなり前の昭和二三年に、湯川秀樹との対談のなかで、原子力は恐ろしいものだと述べています。原子力は、人間のもつ物質の根源を探りたいという欲望が見出してしまったものだが、そのことに対する歯止めになるような原罪意識を持たないといけないと湯川秀樹に力説するのです。湯川秀樹はその当時、原子力推進の考えだったのですが、小林秀雄の影響もあって、のちに原子力は危険だというようになります。

科学は行くところまで行くというのは、そこに人間の欲望がかかわっているからだと小林秀雄は考えます。したがって、宇宙の果てまで、物質の根源までどこまでも付き進みたいという人間の欲望は、裏を返せば人間に負わされた「原罪」なのだということになります。

これに対して、吉本さんは、そういう人間の欲望は科学だけではなく、どのような事柄にもついて回るのだから、そのためにも親鸞の悪人正機説にまつわる倫理(エートス)の問題を考えていかないといけないと考えます。しかし、科学技術の高度化は、それ自体として止めることができず、そのことによって人間は様々な恩恵を受けてきたことを偽るべきではないといいます。

この問題に対して、私は両方とも考えていきたい、そういう立場です。今回のコロナ問題にしても、コンパッションだけではどうしようもなくて、最終的にはワクチンだと思うのです。ワクチンがどこまで世界的に普及するか、それが最終的なカギになると思います。でも、それだけではだめなのです。お互いに相手を気遣う心が今回のコロナ禍のなかでまた芽生えてきたのだから、これを大事にしたうえで、このことと高度化した科学や医学の二つで新型コロナを乗り越えていく。

もう一つは今回の「悪」の問題ですが、カミュは『ペスト』で、リウーという医師を登場させています。私は、カミュの基本的な考えは『異邦人』のムルソーではないかと思っていたのです。ムルソーは、要するに悪人です。母親が死んでもまったく感情を動かさないでガールフレンドと情事にふけり、アラブ人を、太陽の光のせいだといって銃で殺害します。そういう悪人なのに、カミュは、一方では、リウーというコンパッションの塊のような医師を描いています。これは、どういうことなのだろうと思っていました。

『ペスト』を丁寧に読んでいくと、アラブ人が海岸で殺されたというニュースを聞くというくだりがあることに気がつきます。カミュは、ムルソーのような悪人も、『ペスト』のなかに入れているのです。そのことで、『異邦人』では、なかなか理解されなかったムルソーの内面にあらためて光が当てられているといえます。ムルソーのような存在とコンパッションの塊のようなリウーとが、共存するというか、入れ替え可能であるというかそういうことをカミュは考えていたのではないかと思います。

新型コロナのワクチンがどこまで世界的に普及するかという問題も、たんに医学や科学の高度化といったことで解決するのではなく、そこには、人間の倫理（エートス）がかかわっていると考えるべきです。科学や医学の高度化に歯止めをかけてはならないというのが吉本さんの考えでしたが、一方で、吉本さんには、『最後の親鸞』で考えた人間の倫理（エートス）の問題がしまわれているのですから、小林秀雄とは異なった方向から科学における人間の欲望についての見方はあったと思うのです。

たとえば、そういう人間の欲望に対して、小林秀雄ならば、欲望のなすがままにならない人々に焦点を置いたのですが、吉本さんは、「生まれ、婚姻し、子をなし、老いて、死んでいく」ことを本質とする大衆の原像に焦点を置くことで、欲望とは別に、あるがままに科学や医学の恩恵を受けることを是とする人々を、念頭に置いたのではないかと思います。

科学の恩恵は、原子力エネルギーでなくてもいいわけですから、それが実際に危険であるというならば、再生エネルギーを開発していくことによって、原子力エネルギーを超えていく、そういう方向もあるのではないではないでしょうか。

いずれにしろ、大切なのは、人間の倫理（エートス）の問題から眼を逸らさない、ということではないかと思います。

「還って来た者」の言葉

――吉本隆明『最後の親鸞』

〈不可避〉の一筋道

災厄はいつ何時やってくるかわかりません。漱石は、明治二十九年の三陸沖大津波を前に、「津波と震災は、ただに三陸と濃尾に起こるのみにあらず、また自家丹田中にあり、剣呑なるかな」(「人生」)と語りました。ペストという疫病の爆発的な感染を、災厄とみなしたカミュは、これを「不条理」という言葉でとらえようとしました。

いつ何時何が起こるかわからない、吉本隆明は『最後の親鸞』で、このような事態に人は「理由もなく飢え、理由もなく死に、理由もなく殺人し、偶発する事件にぶつかりながら流れてゆく」という言葉をあたえました。

『最後の親鸞』は、吉本隆明の著作の中でも避けて通ることのできない一冊です。その理由は、親鸞の思想を『歎異抄』と『教行信証』から読み取るに当たって、ある普遍的な問題から照らし出そうとしているからです。それは、人間が背負わされる不条理ということと、悪を犯した人間はどこまでゆるされるのかということです。この問題は後に、吉本隆明の戦争観に形を変えてあらわれます。「善人なおもて往生を遂ぐ、いわんや悪人をや」（『歎異抄』）は、親鸞の言葉として広く知られています。一般に悪人正機説といわれるこの言葉によって、親鸞は何をいおうとしたのでしょうか。「善人でさえ往生を遂げるのだから、悪人が往生しないはずはない」といったとき、親鸞はまず、「往生しないはずはない」者たちのことを念頭におきました。それは、どんなに善いことをしようと、報われることなく、むしろ、不幸に見舞われるような人間をいいます。

たとえば、自分よりも相手のことを先にして、辛い立場にいる者への気遣いを忘れないような人間。一見、こういう人間は、善人といえそうなのですが、えてして、そのような人間が、思いもかけない不幸に見舞われます。親鸞は、だからこそ、彼らが往生しないはずはないのだと考えたのです。

さらに、気遣いや配慮を忘れない人間だけでなく、端的に、不遇な人間、自分に何の落ち度もないはずなのに災厄に会う人間、そういう者たちこそ救われなければならないのだと親鸞は考えました。

親鸞は、なぜそういうことを考えたかというと、不遇な人間というのは、えてして自分の不遇を誰かのせいにし、挙句は他者に攻撃的になる場合がある、彼らに往生の道を見出してやらないならば、最終的に、人を害したり、殺し合いへとかたむいていかないとは限らないからです。

親鸞は、『歎異抄』を著した唯円に向かって、人を千人殺してみなさいといいます。これに対して唯円は、わが身の器量では一人とて殺せそうにないとこたえます。そこで、親鸞は「わがこころのよくてころさぬにはあらず」と語るのですが、ここには、「悪」の者といわれる人間が、人を害したり、殺し合いへとかたむいていくのは、その者がみずからに負わされた不遇に耐えられないからだという考えが込められています。

吉本隆明は、「不可避」という言葉で、このことを説明しています。

> ここまで来て、この現世的な世界は、たんに中心のない漂った世界ではなく、〈契機〉（「業縁」）を中心に展開される〈不可避〉の世界に転化する。（略）〈不可避〉の一筋道だけしか、生の前にひらけていない必然の構造をもつ世界がみえてくる。

〈契機〉（「業縁」）とは何でしょうか。人間はたとえどのような不条理に見舞われようと、弥陀の本願にあずかるということ、いいかえるならば、どのような不遇にある者も、「関係の絶対性」のもとでは必ずゆるされ、救われるということです。

還相（げんそう）にある者の声

それでは、地震や津波や疫病や飢饉といった災厄の犠牲になった者だけではなく、文字通り「悪」を行う者もまた、〈不可避〉の一筋道を行くといっていいのでしょうか。そう問うてみるのは、「悪人が往生しないはずはない」の「悪人」とは、言葉通り、「悪」を自分の思いのもとに行う人間とみなすことができるからです。

『教行信証』のなかで、親鸞は、父を殺して王位を手にした阿闍世の怖れとおののきを前に、罪はないと語りかける釈迦の姿を伝えた一節を、『涅槃経』からそのままに、一言もみずからの言葉をはさむことなく、長々と引用しています。その時の親鸞のなかには、阿闍世のような「悪人」もまた往生するという考えがあったのです。

ほんとうをいうならば、自分たちを弾圧し、死罪や流罪に処した後鳥羽院がなにゆえに弥陀の本願にあずかりうるのか、そのことを解き明かそうとして『教行信証』に手を染めた。そのゆるしがたさに震えていた親鸞、そういう者たちをもなお摂取するというのは頽廃以外の何ものでもないと憤っていた親鸞が、阿闍世に罪はないという釈迦の言葉をそのままに書き写します。そのとき、いったい親鸞は、釈迦の言葉に何を聞き取っていたのでしょうか。

釈迦もまた阿闍世に対して、この非道の者を到底ゆるすことができないという思いにとらえられ、そういう思いにとらえられてしまう自分の器量の無さに向き合って途方に暮れていたとき、ふいにどこからか声が聞こえてきた。それは〈父を殺した阿闍世に罪はない〉という言葉だったのではないでしょうか。

それは釈迦の言葉であって、釈迦の言葉ではない。いってみれば「浄土にまいりてのち衆生利益のために（この世に）還って」きた、いわば還相にある者の声ではなかったでしょうか。そう思ってみれば、「いわんや悪人をや」という親鸞の言葉と伝えられているあの言葉もまた、〈還って来た者〉の言葉にちがいありません。

吉本隆明は、ここまで考えることによって人は、「金剛心」をもち「横超」するという親鸞の言葉に実質をあたえたのです。そこには、オウム真理教事件の際に麻原彰晃を擁護した理由が認められるということもできます。

普通であれば、このような悪の者をゆるしたならば、そのために、命を奪われた人間や、その家族にどのような言い訳がたつのかと問い詰められないとはかぎりません。それでも、そこまでいかなければ、人間が殺し合いをするという問題に向き合うことができないのだと吉本隆明は考えたのです。

パラドックスとしての「共生」

内面の発見と心宮内の秘宮

漱石の小説の中で、最も「詩」を感じさせるものは何かと問い、『坊っちゃん』を挙げたことがあります。坊ちゃんに象徴される存在から受け取られる「詩」とは、まず世の中に染まらないものです。同時に、信念を貫き通すことです。そのために、あえて損な生き方を選んでしまう。だが、決して愛するものを裏切らない。もっというならば、現世の矛盾と闘い、みずからは滅びることも辞せずにこの世を救おうとするもの。そういう存在にそなわった、一瞬の輝きをいいます。

そう考えながら、私は、西行、芭蕉、透谷、賢治、中也といった詩人たちを思い浮かべていました。さらにまた、詩人とは、古来から神々の魂を背負ってさまよい歩く者の謂いであるとして、流浪する貴種や追放された罪びととして人々のもとにすがたを現わす者、これをまれびとと名づけた折口信夫をその中に数えていました。

しかしこのような「詩」のイメージは、いつの頃からかすっかり薄れてしまいました。詩や詩人に、倫理的なものを見出そうとする見方が払底してしまったのです。それを象徴するのは、柄谷行人による「近代文学の終り」という考えです。そこで柄谷さんが標的とした「文学」の核をなすのは「詩」いがいではありません。宗近真一郎の『柄谷行人〈世界同時革命のエチカ〉』（論創社）によれば、柄谷さんのなかには、初期のころから「詩」に対する批判的な思念があって、それは、渋沢孝輔『詩の根源を求めて』の書評によくあらわれているというのです。

人間の「内面」というものが「風景」という制度の中で発見されたものであるという『日本近代文学の起源』における柄谷さんの言説は、国木田独歩の「武蔵野」を例にとることによって提示されたものですが、一方において、それは、北村透谷の「内部生命論」「各人心宮内の秘宮」などによってとらえられた「内面」が、その後の文学の根拠となることはなかったという考えのもとに示されたものなのです。

実際、柄谷行人の批評の要に西行、芭蕉、透谷、賢治、中也といった詩人たちが席を占めることはなく、折口信夫は、柳田国男の遊動論の文脈のなかで、傍流に押しやられるいがいないのです。だがこのことによって、柄谷さんのいう「近代文学の終り」を少なく見積もることはできません。むしろ、それから十数年たった現在、詩も文学も終わりを迎えつつあることは、いよいよ明らかになってきました。人間の内面が、ある形式化のもとであらわされることが常態となったことはもちろんのこと、もはや形式としての内面でさえどこにも認められず、内面など、いたずらに浮遊する言葉の向こうに消え去っていくだけのように見えます。

何が問題なのでしょうか。宗近真一郎によれば、『詩は戦っている、誰もそれを知らない。』（書肆山田）からにほかなりません。宗近さんは、この膨大な時評集において、詩というのが国家や権力と戦うという信念を貫き通すために、社会や制度の軛に囚われながらも、追放された罪びととしてさまようものであることを、様々な局面において論じていきます。そのためには、あえてどのような社交性も峻拒して、非社交性に徹するという姿勢をもたねばならない。それはある意味において、アナーキズムやニヒリズムに堕するものとみえなくはない。だが、たとえば透谷の「各人心宮内の秘宮」という言葉を挙げてみるならば、あらためてそこまで徹しなければ、社会や国家というものを律する見えない権力にあらがうことはできないといえます。

最も現在的問題であるコロナ禍が告げているものこそ、人間はどこまで「心宮内の秘宮」に降りていくことができるのかということであり、さらには、期せずしてコロナ禍にあった人間に対して、みずからもまた追放された人間として彼らに寄り添うことができるのかということにほかなりません。それをするためには、詩や文学の核心をつかんでいなければならない。「詩は戦っている」ということを知らなければならないのです。

共同性の侵襲と個の自立性の死守

たとえば、佐々木幹郎詩集『鏡の上を走りながら』（思潮社）のなかの、こんな詩句には、芭蕉や、西行といった者たちの詩魂をうかがわせるものがあります。

野垂れ死には甘美な誘惑だ。身元不明の死体になることの幸福。それが幸福だなんて初め　―

て知った。誘惑をふるいのけるのは、難しかった。やがてわたしはのろのろと立ち上がり馬――に乗った。

大学闘争の余波が残っていた一九七五年に一橋大学の社会学教授だった上原専禄が、「身元不明の死体」のようになって発見されました。五年ほど前に妻に先立たれ、教職を辞し、社会的な役職をすべて辞退して、京都の山奥で隠遁生活を送った果ての死でした。

歴史学者でもあった上原専禄の最後の関心は、親鸞と日蓮でした。とりわけ日蓮については、なみなみならない傾倒ぶりで、「一日のいのちは三千界の寶にも過ぎて候うなり。一日も生きておわせば功徳積もるべし。あら惜しのいのちや、あら惜しのいのちや」（「可延定業御書」）という日蓮の言葉を愛唱しながら、野垂れ死にのような死に方をしました。

このような日蓮の言葉が、社会や国家といったものから最も距離を取った場所から発せられていることはいうまでもありません。コロナ禍はまさに、「あら惜しのいのちや、あら惜しのいのちや」という言葉を身体化するためには、野垂れ死にをもいとわない生に至らなければならないということを告げています。そのことを示唆するものこそ、宗教倫理の核にある詩にほかなりません。

コロナ禍によって強いられた巣ごもりのなかで、吉本隆明の「戦争」について問うべく、ここ数年の間に刊行された橋爪大三郎の三部作『丸山眞男の憂鬱』『小林秀雄の悲哀』『皇国日本とアメリカ大権』を読み解きながら、一方でそこで展開された丸山、小林、本居宣長への批判が、竹田青嗣『世界という背理　小林秀雄と吉本隆明』、加藤典洋『日本人の自画像』、神山睦美『小林秀雄の昭和』

においてはどのように論じられているかを跡付けることによって、最終的には、吉本隆明が先の戦争から受け取ったものは何だったのかを明らかにしていった北明哲＋佐藤幹夫の労作「吉本隆明の『戦争と戦後』、橋爪大三郎の解く皇国思想」（「飢餓陣営」51）の次のような一節にも、巣ごもりがたとえ野垂れ死に至ろうと、社会や国家を律する見えない権力にはくみしないという詩的精神が込められています。

> 「戦争」は誰もが抗えないような巨大で理不尽な力で、個人を拉致する。個人などひとたまりもない。そのような事態を未然に防ぐ手立てがあるとすれば、それはなにか。「国家よりも個人が大切」という理念を、どこまで保存して思想化していけるか。そこに吉本さんは活路を見出していき、「関係の絶対性」や「大衆の原像」として思想化していった。
> 　なぜ、「大衆の原像」や「関係の絶対性」が打ち立てられなくてはならなかったか。個を、共同的なものから切り離し、共同的なものの侵襲から個の自立性を死守するためです。

　吉本隆明の思想について、何度も語られていることを反復しているにすぎないなどといってはいけません。むしろ、共同幻想は自己幻想と逆立するといった吉本さんの思想は、七〇年代以後のポスト・モダンの時代において失効を宣告されてきたのです。吉本思想の影響を受けた世代からさえ、共同幻想とはいわないまでも、人間にとって共同性をよりどころとする場面がいかに重要であるかが説かれてきました。かくいう私も、『小林秀雄の昭和』において、小林秀雄のいう「共同生活の

精神」というイデーに焦点を当てて論じました。

問題は、共同性がある種の災厄として、まさに「侵襲」してくるような事態において、人間は何をなすべきかという点にあります。それは権力となって個を律してくる場合もあれば、今回のコロナ禍のように、感染症を呈する事態として襲ってくる場合もあります。そういう事態において、私たちは何をなすべきなのか。野垂れ死にも覚悟のうえで、おのれの心宮内の秘宮に降りていき、みずからの固有時に向き合うことではないでしょうか。

コロナ禍が明らかにしたのは、共同性に根差す思想の失効であるといわれています。そこからすれば、小林秀雄の「共同生活の精神」もハンナ・アレントの「公共のテーブル」も意味をなさないということになってしまいます。

だが、北明哲＋佐藤幹夫は、吉本隆明にあっては、共同的なものの侵襲から個の自立性を死守するために、「大衆の原像」や「関係の絶対性」が打ち立てられなくてはならなかったといいます。そういう意味でいえば、小林秀雄の「共同生活の精神」もアレントの「公共のテーブル」も、個の自立性を死守するとき、その自立した個が、いかにして他へと開かれていくかを問うていくなかであらわれてきたものにほかなりません。

異邦性とシンクロナイズする共性

詩の「戦い」の根拠を倫理的内面ではなく、内面的倫理にもとめる添田馨は、『ゴースト・ポエティカ——添田馨幽霊詩論集』（響文社）において、詩的な関係性への視点を絶やすまいとする決意を述べます。詩的実践について語られた次のような一節に、そこから生み出された「戦い」の原理が表明されています。

一般的に、詩人とは自己の世界認識を言葉だけで創出する者の謂いであり、そのようにしてつかみ取られた世界の総体は、とりも直さず彼の詩的実践の痕跡に満たされ、秩序化され、ひとつの統一的な輝きのうちに実体化されてある経験の全体でなければならない。そして、彼の世界創出をあますところなく現出させるところの根本の運動エネルギー、これこそがぼくは〝倫理〟であると考える。

（「実践詩論」）

この原理は「植物革命説——香港・二〇一九／革命の新しい地平へ」において、抑圧する権力に対して暴力的に抗う「動物革命」とは異なった「植物革命」において実践されます。それは植物のもつ独特の潮流やムーヴメントによって進められるものであり、革命をになう戦士の共生関係によって遂げられるものです。詩の「戦い」は、そのような「植物革命」——ポーランドの「連帯」、「ベルリンの壁崩壊」、「香港の大衆闘争」——を目指さなければならないと添田はいいます。

だが、共同性や共生関係をたちまちのうちに災厄としてしまうようなコロナ禍の前で、このような「戦い」はいかに可能でしょうか。たとえば、カミュの『ペスト』はそのような問いをモティーフとした作品ということができます。ペストという不条理を前に戦う医師リウーや友人タルーのなかに生き続けているのは、たとえ損な生き方を選んでも、信念を貫き通し、この世を救おうとする詩魂ではないでしょうか。

いってみるならば、カミュは、このような詩魂が個の自立性を死守するものであると同時に、共生へと開かれていくものであることを、ロックダウンのなかですべての共同性が崩壊していくオラン市の現実のなかに描き出しました。そのような共生とは、まさに共苦（コンパッション）といってよく、集中リウーが、自殺未遂をしたブローカーのコタールを、ペストに感染した者と同様に気遣う場面からもうかがわれます。

このコタールは、最後の場面で警官隊に発砲するという奇矯な行動に出るのですが、カフカの『審判』についてリウーの意見を求めたり、『異邦人』のムルソーらしき男が浜辺でアラブ人を射殺した話を聞いて、その犯人を非難する者に忌避の態度を取ったりするところからも、ヨーゼフ・Kやムルソーの系譜に連なる人物であることが分かります。リウーのコタールに対する気遣いは、ムルソーに対するそれをうかがわせるものなのです。

だがいったい、母親の死をついに理解できず、女友達と情事に耽ったすえに、太陽の光のせいでアラブ人に発砲し、死に至らしめるような男とのあいだにどのような共苦（コンパッション）が成り立つというのでしょうか。カミュは、ムルソーの虚しい内面の奥から不意に湧出する思いをこんなふうに描き出します。

> 裁判所を出て、車に乗るとき、ほんの一瞬、私は夏の夕べのかおりと色とを感じた。護送車の薄闇のなかで、私の愛する一つの街の、また、時折私が楽しんだひとときの、ありとあ

る親しい物音を、まるで自分の疲労の底からわき出してくるように、一つ一つ味わった、すでにやわらいだ大気のなかの、新聞売りの叫び、辻公園のなかの最後の鳥たち、サンドイッチ売りの叫び声、街の高みの曲がり角での、電車のきしみ。港の上に夜がおりる前の、あの空のざわめき。――こうしてすべてが、私のために、盲人の道案内のようなものを、つくりなしていた。
（窪田啓作訳）

そしてリウーの詩魂とは、「私は、自分が幸福だったし、今もなお幸福であることを悟った」といい、さらに、「この私に残された望みといっては、私の処刑の日に大勢の見物人が集まり、憎悪の叫びをあげて、私を迎えることとだけだった」というムルソーの異邦性とシンクロナイズするところに、はじめてはらまれるものなのです。それゆえにこそ、個の自立性を死守するものであると同時に、共生へと開かれていくものといえます。

共同性を「浸襲」するペストやコロナのような災厄のなかで、なお共苦（コンパッション）があらわれるならば、そのようにしてにほかならないとカミュは考えたのです。

「共」の恩寵のたぐいまれさ

杉本真維子『三日間の石』（響文社）を何度も読んでいくと、思いもかけないイメージがわいてきます。それをどういったらいいのか、言葉が出てこないのですが、思い切って「凄い」ということの漢字に集約してみようと思いました。どこが凄いかというと、自分ではない世界から自分へとやってくるものに対する共感力が凄いのです。

共感というと、良きものへの感応力といったイメージがわきますが、杉本真維子の場合、悪しきものへの感応力も含めての共感なのです。悪しきものというのは、極端ないい方であって、異数なるものといいかえてもかまいません。具体的には、この世界から消え去りつつあるもの、もっといえば死の近くに赴いていくもの、あるいは、死へと逝ってしまったものです。

杉本さんは、数年前に父親を亡くしています。その時の喪心体験のなかから、この異数なるものへの感応力をはぐくんできたのかもしれません。表題の「三日間の石」というのが、お盆で死者の霊を迎えるにあたって、三日間、石になる話ですが、亡くなった父親の霊に感応するあまり、むこうの世界に行ってしまいそうになるようすが描かれています。

それだけなら、よくある話なのですが、杉本さんの凄いのは、石にでもならないと、父親の霊だけでなく、さまざまな異数なるものたちに感応して、あちら側に行ってしまいそうになる自分を、言葉の力でこちら側に引き留めようとするところです。

とりわけ、犯罪の記録を読んでいくうちに、母親を殺した時の感覚が忘れられず、繰り返し殺人を犯してしまう犯人に対して、共感してしまう自分の感受性について語った「枠になりたい」という文章など、鬼気迫るものです。


その欲求を抑えきれず、少年院を出所後、何の面識もない姉妹を殺害し、放火した。そして、この欲求は生涯変えられない、また同じことを繰り返す、自分は生まれてくるべきではなかった、として早期死刑を望み、二十五歳で刑死した。—

　このような人間を嫌悪する感情、ゆるしがたいと思う感情を持ちながら、それでもその人間に共感してしまう、その共感の底には、自分自身を罪深い人間と思ってしまう感受性がどこかではたらいています。でも、これらすべてに枠をはめて外に出ないようにしてしまいたい、そうでないと、この共感力は、何を感じ取っていくかわからない、そういって悲鳴を上げているようすが伝わってきます。

　ここには『異邦人』のムルソーにシンクロナイズする『ペスト』のリウーに通じる詩魂が見受けられるといっていいでしょう。しかし、杉本さんにあっては、どこまでいっても共生へと向かわないのです。向かわないことによって、「共」というものがいかに邪悪なものであるかを暗示しているのです。「共」の侵襲からみずからを固守するためには、「枠」以上の「枠」、いわば自分自身をみえない獄のなかに閉じ込めるほかはない、そのことによって「心宮内の秘宮」に降りていくほかはありません。

　しかし、そこに示されるのは、ありえないような共苦（コンパッション）の姿なのです。杉本真唯子は、悲鳴を上げることによって「共」の侵襲のおそろしさと「共」の恩寵のたぐいまれさを示唆したのです。それこそが、いま最も望まれる詩魂というべきではないでしょうか。

竹の葉先の微かな震え

持ち合わせている器量の大きさ

八階の入院病棟の広い廊下の端に、四人がやっと掛けられるぐらいのちょっとした休憩所がありました。東側が天井までのガラス戸になっていて、そこから遠くの町並みが一望に見渡すことができます。重病患者の多いその病棟は、昼でもしんとして、そこに腰掛けている者を認めることはめったにありませんでした。ガラス戸の外には、頑丈そうなベランダがついていましたが、厳重に施錠されていました。

一昔前までは、辺り一帯に田園風景が広がっていたはずですが、いまではマッチ箱のような新興住宅団地が整然と並んでいました。その一角に、農家らしい広い敷地の屋敷があって、裏庭に、場違いのように広い竹藪が残されていました。私は、晴れた風の強い一日、窓際の椅子に腰掛け、見るともなくそちらの方を見ていました。丈の高い孟宗竹(もうそうちく)が何十本となく直立している姿は、威風堂々という言葉がぴったりでした。

眺めていると、竹の群れは強い風を受けていっせいに撓うのですが、それはいかにもこちらを圧する力を受けとめて倦まずといった印象を与えました。ところが、よく見ると、枝の先にさらに細い小枝が無数に生えていて、その枝に付いた黄緑の葉ともども、絶えず小刻みに震えているのです。私は、その様子にじっと目をやりながら、深い安堵に包まれていくのを感じていました。

気がついてみると、その人が向かい側の席に腰を掛けて、じっと同じ方角に目をやっていました。黄疸が強く出ているその顔色は、一見しただけで重症であることを物語っていました。腰のあたりに屎尿袋を付け、格子縞の入院着を身につけているその姿は、まるで首に紐を付けたまま飼い主の手から抜け出てきた犬といった風情でした。

向こうから見れば、自分もそんなふうな姿に映っているのかもしれない。そう思うと、ちょっと情けなくなりましたが、そんな気分はいずれ麻痺してしまうだろうとすぐに思い返しました。ここでの生活は、普通の人たちが身につけているごく普通の矜持を、みずから少しづつ剝ぎ取っていくことで成り立っていたからです。

――外は風が強そうですね。

その人は言葉を掛けてきました。

――さっきから太い竹が撓って、細い枝の先が小刻みに震えています。

――空が青いと、かえって、目にしみますね。

そんなふうにして言葉を交わし、やがて入院患者の誰もがするように、お互いの症状を披瀝し、ここに来るまでの身の上をぽつりぽつりと話しはじめました。彼は、その話の間、屈託らしいものを少しも感じさせませんでした。持ち合わせている器量の大きさが、その時すぐに感じられました。どのように惨めな境遇に陥ろうとも、ものともしないひろやかさを、この人は身につけている。ともすれば荒んだ気分にとらえられがちな入院生活のなかで、そのような人物の謦咳に触れることは、またとない幸運に思われました。

それからしばらくして、私たちは互いの病室を見舞うほど親しい仲になりました。最初の出会いから数えて何度目位だったでしょうか。私たちは、もうすっかり馴れ親しむようになっていました。

そんなある日、彼の後ろ姿を同じ場所に見つけて、向かい側に腰掛けた私に、彼はいつものように訥訥としゃべり掛けてきました。ところが、その日に限って、彼の話には継目というものがありませんでした。私は、彼のなかで何かが起こり、ぜひともそのことを伝えたいという思いに駆られているのだと思いました。

私は、自分が話の相手に選ばれたことを光栄に思い、静かに耳を傾けました。その日も、やはり晴れて風が強く、竹薮がざわざわと揺れ、太い孟宗竹の細かい枝先が、小刻みに震えているのが見分けられました。

苦手なタイプの人間

彼は静かに話し始めました。

話の様子から、そんなに遠い日のことではないことがすぐにわかりました。それもつい何ヵ月か前、この同じ病棟でのことらしかったのです。話しているうちに、彼の中で一人の人物の像が焦点を結び始めたようでした。

——その人は、ベッドの上に正座して経文のようなものを開き、しきりにぶつぶつ称えていました。

私がその大部屋に入ったときには、ベッドはきれいに片付けられて、簡単な手荷物が枕元に置かれていただけだったのです。看護師さんの話では、ベッドの主は二日程外出を許されて、遠い町に住む家族のもとに帰っているとのこと。たまたま仕事先のこの町で発病したため、緊急入院ということになったらしいが、検査の結果それほど急を要する容体でもなく、今後の処置についてじっくり家族と相談すべく一旦帰省したということだったのです。

白いシーツの敷かれた主のいないベッドは、私の中でかすかな気がかりとはなっていたものの、そのとき同室にいた何人かのもの静かな人たちの印象に紛れて、しだいに薄れていきました。

右隣のベッドの、もう八十歳を過ぎているという老人は、一日中横臥してかすかな寝息をたてていました。老妻に先立たれた、一人暮らしの不如意を思えば、近代的な設備の整った病院で手厚い看護を受けられるのは喜びでさえあるようでした。たまにやってくる娘らしい中年の婦人の前でだけは、気難しそうな顔付を見せていましたが、普段は至って静かでした。

午睡から覚めて周りを見渡すと、空だったはずの隣のベッドでぶつぶつと何か唱えている人がいました。それが、その人だったのです。四十がらみの年格好で、頭髪を短く刈りこみ、色は浅黒く、骨太の体軀。一見すると、どこが悪くて入院しているのだろうと思われるような感じでした。

簡単に初対面の挨拶を交わしたものの、私には苦手なタイプの人間であることが直観的にわかりました。仕事の上で、こういうタイプの人物に出会うことは、めったにありませんでした。が、どういう訳か生活上の細々とした場面で、何度かこの種の人物と交渉する羽目に陥ったことがあります。

あるとき、彼らの一人との間でトラブルが起こりました。私は、どう見てもそちらに落ち度があるように思われたので、思い切って改善を申し入れました。ところが、「迷惑を及ぼしているのはこちらだけじゃない。お宅だってお天道様に恥じない生活をしているわけではあるまい。お互い様なんだから、そんなことでなんだかんだと目くじらをたてないでほしい」と剣もほろろ。私の言葉は、行き場を失って宙に舞うばかりでした。

その人の場合も、ほとんど流儀は同じでした。

ベッドに正座してぶつぶつお経のようなものを称えているうちはいいが、どこか傍若無人なところが感じられる。消灯時間が過ぎても、一人テレビを点けて見ている。定時の回診時なのに、度々ベッドを空にする。何か特別な「行」をしているということだが、どこに姿をくらましているのかわからない。

私は、あるとき、思い切って特に迷惑な点について注意を促しました。すると、答えは驚いたことに、以前トラブルに会ったときの相手と少しも違わないのです。これはきっとこちらの対応の仕方に問題があるに違いない、一瞬そう思ったものの、結局は、苦手なタイプの人間ということで片付けるしかありませんでした。

それ以来、隣同士ながらできるだけかかわらないようにしてきました。

増長心のなせる業

そうこうしているうちにベッドの上での読経も、さほど気にはならなくなってきた頃、向こうから話しかけてくることが度々になりました。こういうものを読んでいるんだが、と言ってその「お経」を見せてくれたのは、このあたりで仲直りしようという合図でもあったのでしょうか。覗いてみると、教典でも何でもなく、何かわからない新興宗教のお題目のようなものでした。

その人は、いいました。

自分はある人に勧められてこの宗教に首を突っ込んでみたのだが、最初はこんなものと思ってまるっきり相手にしていなかった。なのに、しだいに何だか自分のことを言われているような気がして、何とも妙な気分になってきた。そういいながら、指差して後を続けるのでした。

ここにこう書いてある。人間にとって増長心ほど始末に困るものはない。自分よりも少しでも良い境遇にある者を見ると羨み、嫉み、しまいには憎しみを向ける。自分が、ちょっとでも優位にあると思うと、まるでこの世界は自分のためにつくられたものであるかに錯覚し、何でも思い通りに動かせるかに思ってしまう。それが、そこからわずかなりともはずれた日には、全世界が自分を陥れるための陰謀をめぐらしているとまで思い込んでしまう。それもこれも、みな、自分の中に巣食う増長心のなせる業。

今回の病気だって、そうだ。自分だけが何でこんなふうに苦しまなければならないのか。確かに、生活のためにはずいぶん汚いことにも手を染めてきた。でも、まだまだひどいことをやっている連中は、この世の中にごまんといる。それなのに、彼らは安閑として暮らし、自分は痛みや苦しみで息もつげない。どうしてこんな理不尽なことがまかり通るのだ。そのことを考えると、いてもたってもいられなくなる。

自分はいままでの人生で、決して割りのいい目をみてきたとは思われない。学校時代には、勉強が嫌いな分、腕っ節の強さで周りに自分を認めさせてきた。でも、所詮頭の良い者にはかなわない。学校を出て、何度か仕事を変わったが、その度に自分がもっと頭が良かったらと心底から思ったものだった。それが、この上げ潮のような時代の波だ。自分にもようやくつきがまわってきたと思った。勧められるままに、それまで稼いであった金を不動産や金融に注ぎ込むと、それが倍にも三倍にもなって返ってきた。いつの間にか、ちょっとした投資事業家気取りになってしまった。

そのときだけは、頭が良いだけでうだつのあがらない奴や、くだらない御託をならべている奴が哀れに思えて仕方がなかった。自分は、頭は良くはないかもしれないが、度胸と要領だけは決して人に劣らない。才気だってその辺の事業家なんかに負けないくらいある、そう思ったものだ。

ところが、それも束の間、あっという間にバブルがはじけ、崖を転げ落ちるように転落がはじまった。挙げ句は泥沼みたいなところに足を取られ、もがけばもがくほど深みにはまって抜けられなくなってくる。しまいには、病気だ。

自分ではどこも何でもないつもりだが、ここが悪い、あそこが悪いと言われれば、確かによくはないと思われてくる。気が滅入って、いままでの空元気はどこにいったのか、毎日ふさぎこんでばかり。自分は、やっぱり割りの悪い人生を生きるように定められていたのだ。そう思うと、何ともいえない憤怒がわき起こってきた。誰もが、それみたことかと笑っているような気がしてならず、世の中の全てが、自分とは縁のない幸福な人生を送っているような気がしてならなくなる。自分だけが、この暗い地獄のような人生をとぼとぼと歩いて、しまいには、文字通りの地獄落ちになるに違いない。そう思うと、もう何をしても手がつかない。

そんなとき、たまたま人に勧められてこの本に出会った。「増長心」と書いてあるけれど、何だか自分のことを言われているような気がしてならなかった。

人間、この増長心から逃れられないがために、何かすると自分だけがとか、自分こそはと思って、悩んだり苦しんだりするのだ。この地獄から逃れるには、増長心を自分の中で殺してしまうことだ。

その通りだよ。殺してしまえばいいんだ。自分の存在なんか、この広大無辺の三千世界の中では、塵みたいなものだということをよくよく知ることなのだ。どうやって？　この本に書いてあることを何度も何度も読んで、総主様の教えを守り、自己改造に励めばいいのだ。

自分は、いまはこうして入院なんかしているけれど、この病気が自分の中の増長心からやってきたものであることはよくよくわかっている。医者の処方なんかで治るような生易しいものじゃないんだ。だから、自分はいつまでもここにいるつもりはない。潮時がきたら、ここを出て、必ずこの増長心を殺す法を身につけ、この病気を治してみせる。どうだ、あんたもやってみないか。

親鸞の悪人正機説

話を聞きながら、私は何度も背筋がぞっとするのを覚えました。

その人の全身から発せられる瘴気のようなものが、こちらを何とも言えない息苦しい気分にさせるのです。増長心を殺して、病気のもとを断ってみせると口に出して言うほどに、心はこのうえなく増長していくような具合。そのことに、彼は全く気づいていないようでした。

そのやりきれないまでの執着心から、奇態な瘴気は発してくるのです。

でも、私がぞくぞくと寒気のようなものを感じたのは、その瘴気に当てられたせいだけではありません。私の中で、執拗なまでの苦手意識が頭をもたげてきたからです。苦手な人間と対したとき、私は決まってこの手の気分に陥るのです。それが嫌さに、この人は苦手だと思うと、そういう人はできるだけ避け、近づかないようにしてきました。

でも、そのときだけは、そういう訳にはいきません。なにしろ、その人はこちらと一メートルと離れていないところにいて、寝食を共にしている。話しかけてきても、知らないふりをしていればそれまでのようにみえますが、そうすればそうしたで、間の沈黙が棘のようにちくちくと刺さってきます。いずれにしろ、かかわらないでいるわけにはいきません。

私は、観念して話相手になるほかないと考えました。

その人は、何度も何度も自分の不遇を嘆き、いまの境遇を呪咀し、天をも呪わんばかりに憤りました。が、その後は決まって増長心を戒め、これから免れるには「行」に励むしかないと語るのでした。そして、こちらにも必ず「やってみないか」と勧めるのです。

私は黙って聞きながら、ところどころそれらしい言葉を差し挟むだけで、彼に対する苦手意識を気取られないようにするのが精一杯でした。

そんなことがしばらく続くうちに、彼の「やってみないか」という勧めがしつこいほどに頻繁になってきました。私は、それをかわすためにも、何か自分なりの宗教観を語らないわけにはいかなくなりました。そこで、こんなふうに話しはじめたのです。

その「増長心」を戒める総主様が、どういう宗教を奉ずる方なのか知らないが、私の知っている親鸞という方にこんな教えがあります。

《善人だって救われるんだから、悪人が救われないはずはない》。

ここで言われる、「悪人」というのは、思うにあなたのような人間のことではないでしょうか。あなたは、自分ほど割りの合わない人生を送ってきた者はないと思っているようだが、そう思うときの自分が知らないうちに、幸せな人生を送っている者たちに対して羨みや嫉み、嫉妬や憎しみを向け、いずれ彼らも自分と同じ境遇にと願っていたことに、きっと気がついている。だから、そんなふうに「増長心」を殺す「行」に、夢中になるのです。

でも、私から見て、あなたの中には、どうにも消すことのできない瘴気のようなものがこもっている。それが絶えず吹き出してこちらを辟易させてやまない。辟易させられる度に、失礼ながら、これは並大抵の「行」では消えはしないだろうと思ってきました。

そのことであなたも苦しんでいるようですが、どうでしょうか。いっそのこと、もう「増長心」を殺さなければなどと思うのはやめにしては。

どんなに「行」に励もうと、何かのきっかけに、自分がこんなに能力も才もなく、その上、身体まで蝕まれるのは、きっと誰かのせいにちがいない。そんな思いがわきおこってくるのだから、「増長心」にとらわれているどころか、あなたの心は、「悪」に骨の髄までまみれている。そう思ったほうがいいのではないでしょうか。

問題は、自分は何をやってもだめだ、自分ほど誰からも見放されているものはいないという思い、それでいて少しでも人より優位に立つと、この世界の全ては自分のためにあるかのように錯覚してしまう、そういう思いの中に巣食う「悪」の心ではないでしょうか。

「行」で殺せるぐらいの「増長心」だったら、そんなものは「善」の、形を変えた現われに過ぎません。そして、「善人」が救われるなどということは言わずと知れたことなのです。

親鸞という人は、その「悪」の心こそが、救われなければ、この世の中には神も仏もない、と考えました。何をやってもだめだと思って、人を羨んだり妬んだりする心は、自分ではどうすることもできないものなのだから、もう進退極まった、この悪逆非道の人非人よと、つくづく自分に愛想がつきたときにこそ救いの手が延べられる。そう考えたのです。

いや、本当を言うと愛想がつきることなんかもいらない。自分に愛想がつきることもならないほど、いつもいつも人を羨み自分を卑しみ、できることならば、自分と同じ境涯に人を引きずり下ろしてやりたい、そんな思いにとらわれてしまう、その心こそが、この世に「悪」をもたらすもとのもと。だからこそ、その心が救われないなら、もうこの世に光なんか射すはずはない。そう考えて、「善人だって救われるのだから、悪人が救われないはずはない」という言葉を述べたのです。

泥でこねあげられた悪

黙って、私の言葉に耳を傾けていた彼は、一言、その親鸞という人もよほど「増長心」の強い人だったに違いない、といってそちら側に寝返りを打ち、そのまま静かに目をつぶったようでした。

それから、何日かがたちました。

私と彼との間には、そんな話があったとは思われないほど、無関心の空気が流れていました。相手を無視するといったふうでもなく、ただ互いに無関心を装ってやり過ごしていたのです。

だが、そんな空気もいつか尽きました。ある日、その人は私を「先生」と言って、話しかけてきたのです。

そのどこか卑屈ないい方を好まない私は、そういう呼び方をする人間とできるだけかかわらないようにしてきたのですが、今回だけはそうはいきません。身構えて向きなおると、彼はこんなふうに語りかけてきました。

先生は自分なんかのことをさも悪人であるかのようにいうけれど、少し筋違いじゃないだろうか。自分は、確かに駄目な人間だが、人に対して顔向けのできないようなことは一度もしたことがない。バブルの時代には、ひどいことをして随分金儲けをした奴を沢山知っている。だけど、自分のやったことはいまでもちゃんとした事業だったと思っている。もちろん、心の中では、口にいえないようなことを何度も思い巡らしたことがある。でも、そこまで人間責められる謂れはないだろう。

それよりか、何だ。先生はいかにも物知りで、どこかの教授先生かも知れないが、まるで自分には「増長心」なんかこれっぽちもないようじゃないか。自分には、そんなことはとても信じられない。もともとそういう心を持ち合わせていないのか、それとも、親鸞という人の教えを実行して「増長心」を殺したのか。そのことを是非とも知りたいのだが、話してくれないだろうか。

自分も随分総主様の「行」をやってみてはいるのだが、頭が悪いせいかさっぱりうまくいかないのだ。やっぱり、頭が良い悪いというのは、こういうときにはっきり出てくるようでつくづく嫌になってしまう。だからといって、そうもいっていられないんで、何とか教えてもらえないかとお願いするんだが。

私は、その言葉を聞いているうちから、ぞくぞくと寒気がしてきました。この世の中には、言葉など決して通じない泥でこねあげられた悪というものがあって、それを前にすると、身体が絶縁体みたいになってしまうのだと思わずにはいられなくなったのです。

私は、もはやそれ以上に何かをいう気にはなれず、そのまま戸口を閉ざしてしまいました。そしてそれからは、以前のように当たり障りのない応対ですませることにしたのです。

それからまた何日かがたちました。

ある日、何かよほど弱気な気分に落ち込んだのか、その人は、いつも一緒にいる同じ病棟の取り巻き連から一人離れ、虚ろな表情で終日横臥していました。夕食の配膳も取りにこないままふさいでいるようなので、隣のよしみで運んでいってやると、食事がすんでしばらくした頃に例のお題目を手にしてこちらに向き直り、自分は救いがたい人間に違いないと語りはじめるのです。

自分の増長心は、とてもこの程度の「行」などでおさまるたぐいのものではない。きっとこの病気も、治る見込みはなく、自分はこの世のあらゆるものを恨みつくして死んでいくに違いない。それを思うと、心底わびしくなってくる。何で自分は、こうもまた因果な性分に生まれついたのだろうか。

そう語るその人の表情からは、あの瘴気のようなものはすっかり消えていました。

そのせいでしょうか、不思議なことにそのときに限って、その人と対面していても少しも息苦しさを感じることがないのです。私はしだいにその人に対して心が開かれていくのが感じられました。それだけでなく、その人を異様のもののごとくに嫌い、関わりを持つことを極力避けてきた自分こそが、忌むべきものであったということを、ようやく自分に認めていたのです。

ヨブに与えられた試錬

そのことを感じながら、私は少しずつ話しはじめました。

あなたの話を聞いていると、自分がどんなに恵まれた人生を送ってきたかとつくづく思います。幼いときから人に優れ、周りから行く末はさぞかしとほめそやされて過ごしてきました。自分では、そう言われても人に較べて劣る点がいくらでもあるという思いが強く、にわかには信じがたい気持ちもあったのですが、いつの間にか期待に応えるようになっていきました。

期待通りになったかどうかは別にして、学校も思い通りに出、仕事でも満足できるかたちを手に入れ、家族にも恵まれ、経済的にも安定し、些細な波風がたつことはあったものの、まずは順風満帆というところでした。

それが、この病気です。自分の人生の予定では、こんなところに留まるはずではなかった。まだまだやり残した仕事もあり、家族も養わなければならず、とても途中下車するわけにはいかないのです。第一、どうして自分だけがこんなところでぐずぐずしていなければならないのか。

列車は次々に人たちを乗せて過ぎていくのに、自分はいつまでたってもその車両に乗せてもらえず、しまいには少しずつ暗い淵のようなところに沈んでいく。

他の人たちは、それぞれの道をそれぞれに歩み、ずっと遠くの方で幸せそうな明かりに包まれている。本当は、自分こそが万燭光の明かりに包まれて、誰からも羨まれる人生を送るはずだったのに。そう思うとやりきれない気分になってしまいました。

ちょうどその頃、たまたま読んだ神様の本の中に、こんな話がありました。

ずっと昔、神様に選ばれた地にヨブという名の信仰厚い義人が住んでいました。たぶん、幼いときから人に優れ、末は「やんごとなきひとに」と周りから誉めたたえられていたせいでしょう、後々まで、信ずる心深く、与えられたものに感謝し、誰をも妨げず、誰からも愛され、自然と幸福を呼び寄せるようで、たいへんな資産をかかえ、召使も多く、働き者ではあったが、何不自由のない生活をし、そのことで誰よりも深く神様に感謝し、厚い信仰に身を委ねていた人でした。

そのヨブに苦難をあたえてみよと悪魔がささやいたのです。ヨブはどのような試錬も甘んじて受けるにちがいないと考えた神様によって最初に与えられた苦難が、彼の持てるもの全てを奪い取るというものだったのです。

次々に災難が襲い、ヨブは家も財産も、田も畑も、家畜も召使も全て失って、無一物の身に落ちてしまいます。そのとき、ヨブは何と言ったと思いますか。「自分は裸で母親の腹の中から出てきたのだから、また裸で帰っていこう。自分の持ち物はみんなもともと神様の物なのだから、失ったなどと嘆き、悲しむには及ばない。ましてや恨み言を述べるなど、もってのほか」。

これで終われば、悪魔の出る幕なんか全然ありません。ところが、それで引き下がるような悪魔ではありませんでした。それなら、今度はその無一物の身体に苦難を及ぼしてみせよう、それでも恨み言一つ述べないなら、こちらの負けだとばかりに、「足の裏から頭の頂きまで、嫌な腫物をもって悩ました。ヨブは陶器の破片を手に取り、それで自分の身体を掻き毟り、灰の中にすわった」といいます。

それまでヨブとともに苦難に耐えていた彼の妻は、とうとう業を煮やして罵りはじめました。ここうまでひどい仕打ちを受けて、まだあなたは黙っているの。私たちが一体何をしたっていうんでしょう。理不尽も甚だしい。もうこうなった以上あなたは神様を呪って死ぬがいいんだわ、と。

それに対するヨブの答えはどうだったでしょうか。お前のいっていることは愚かな女の繰り言とおんなじだ。私たちは、神様から幸いを受けているんだから、災いだって受けるべきではないか、とこうです。

ところが、そこはヨブだって人間です。ついに七日七夜の後、呪いの言葉を口にしはじめます。

その最初の言葉が「私の生まれた日は消えうせよ」というのです。ヨブは、何を恨んだかというと、自分がこの世に生まれたことを恨んだのです。自分のようなものは、もともとこの世に生まれるべきではなかった。こんなに苦しむんだったら、生まれてこないほうがよかった。どうして神様は、私に生命を下さったのか。はじめから命の光などたまわらないで、闇と暗黒のもとに閉ざされていたなら、こんなに苦しむこともなかったのに、と。

どんな卑しさをも覆って余りある心の深度

ここまで一気に話し続けてきた私は、胸の空気がすーと抜けていくような何ともいえない気分でいました。よほど息せききって話していたのでしょう、隣のベッドの上にあぐらをかいて座っていたその人の首が、先程からうなだれていることに全く気がつきませんでした。

その人は、私の言葉に耳を傾けているうちに、いつのまにか眼をつぶり、寝息をたてていたのです。

私は、ようやく自分のしてきたことに気がつき、思わず周りを見回しました。消灯の時間も近く、同室の者たちは、何事もないかのように、簡単に身の回りを片付け、寝る用意をしています。私も急いであとを追って、そのまま寝につきました。

でも、その夜はいつになく興奮していたせいか、横になったまま夜更け頃までまんじりともしません。白いカーテンで仕切られた空間を、形をとることのない思いが、迷い蛾のように飛び回ります。私は、目蓋を閉じたままその後をいつまでも追っていました。

すると、私の話を聞きながら寝入ってしまったはずの彼が、床の中で、

チクショー、眠レナイ、

チクショー、クソー、眠レナイ、

クソー、チクショー、眠レナイ、

眠レナイ、チクショー、クソー、

と、低くくぐもった声でうなっているのが聞こえてきたのです。聞こえよがしというのではないものの、そのうめくような低い声は、明け方まで耳について離れませんでした。私は、以前同じように、深夜、病室全体に響きわたるほどに大きな声で喚き散らした彼を、

眠レナイノハオタクダケデハナイ、

ミンナココデハ眠レナイ夜ヲ過ゴシテイルノダ、

と、注意したときの自分を振り返ってみて、思わず苦笑してしまいました。

それからの彼に、特別変化が認められたわけでは全くありません。例によって、何人かの取り巻き連と世間話をしては、どこか傍若無人の雰囲気をあたりに醸し出していました。それは、彼に生来そなわった体臭のようなものでもありました。

それでも、日々の治療を、なんとか段取り通りに済ませているらしく、こちらには時々「先生」といって当たり障りのない言葉を掛けてくるだけでした。親鸞についても、ヨブについても、一度も話題にのぼることのないまま、それからしばらくして、彼は、家族のいる遠い町の病院に移るために退院していきました。

退院する日の昼過ぎ、たまたま私がこの場所に座っていると、向かい側のあなたがいまいる場所にきて、世話になったことを丁寧に述べ、自分は必ずもう一旗あげてみせるので、その時は必ず連絡をすると何度も話して、簡単な手荷物を抱えたまま、ひとり廊下の奥に消えていきました。

私は、静かにうなずいて、遠ざかっていく彼の後ろ姿を、いつまでもいつまでも見送っていました。

彼がその後どうなったか、知るてだてもありません。彼のうちの「増長心」が、いつかどこかで癒されんことをと願いながら、時に私は、残酷な気持ちにとらえられます。それは、ありえないことだろうと確信に近い思いを抱くのです。しかし、そんなふうに思うのは、私自身の「増長心」の、ついに癒されることがないからに違いありません。

私は、そのことを考えるにつけ、さらに言葉を費やさずにいられなくなります。

そこで、あなたがそういう人間と思ってのことではまったくありませんが、あなたにこの先をお話してみたいのです。あなた、どうでしょう、聞いてくれますか。

そういいながら、黄疸の出た顔を少し上気させながらじっとこちらを見つめるその人の表情には、威厳のようなものさえ認められました。それだけでなく、彼の言葉には、どんな卑しさをも覆って余りある心の深度が感じられました。その深みへと先程からすっかり引き込まれていたこちらに、断る理由などあろうはずもありません。私は黙って、彼の黄色い顔を見つめ首肯くだけでした。

外はもうとっぷりと暮れ、薄暮の中を竹薮が微かに風で揺すられていました。

その人は、静かに話の穂をついでいきました。私は無言のまま、彼の言葉に耳を傾けました。小さなテーブルを挟んで向かい合っている私たちの周りを、黄金の塵が無数に舞っているのでした。

泥のように滅び去るもの

――ヨブは、それでも遠くから自分の窮状を察して、見舞いにやって来てくれた友人の言葉をありがたく受け取り、静かに耳を傾けます。辛さも厭わずに、そのエリパズという友人の言うところを聞きとめようとするのです。そうすると、彼も、ただこちらを憐れんでいるだけではないということに気がついてきます。

エリパズが言っているのは、人間などもともと塵や染みみたいなもの、泥の家に住んで、誰にも顧みられず永遠に滅び去るものに過ぎない、ということでした。

呼んでも答えるものなく、誰も頼みとすることができず、悩みと苦しみの中に置き去りにされ、嫉みと憤りを飲み込んで、愚かで浅はかなままに死へと堕していくもの。だからこそ、神を頼み、神に全てを預けて救われるしかない。

神様はこの世の全ての原因、あらゆる知と力の象徴であって、悩み苦しむ者を自らの手で救い上げ、生命を吹き入れる。時に、ゆえなく傷つけ打つことがあったとしても、さらに深く包み癒すために行なうのであるから、そのような神に戒めを受ける者、懲罰を与えられる者はむしろ幸いである。

はじめは敬虔な気持ちでエリパズの言葉に耳を傾けていたヨブでしたが、戒めを受ける者は幸いだという言葉を聞くに及んで、とうとう耐えきれなくなってきます。

この身が、神に較べれば塵や染みみたいなもの、泥のように滅び去るものに過ぎないということはよくよくわかっている。だからこそ、神を頼み、神に救われるしかないと思ってこれまで頭を垂れてやってきた。なのに、どうしてその私が、神の戒めと懲罰を受けなければならないのか。

身が蝕まれ、陶器の破片で全身を掻き毟らずにはいられないときでさえ、私は一度も神を恨む言葉を吐きはしなかった。一体私のどこが間違っているのか。あなたならきっと知っているに違いない。私の誤っているところを教えてほしい。そうでなければ、私の肉は蛆と土くれにまみれ、皮は崩れ、私の非は望みを持たずに消え去っていく。

そう言って、ヨブは嘆きます。

すると、ビルダデというもう一人の友人が、苛立たしげにこう答えるのです。

いつまであなたはそんなことを言っているのか。あなたの口から出る言葉は、荒い風のようではないか。あなたは、自分では何も過ちを犯した覚えはないと思っているかもしれないが、あなたの子たちが罪を犯したのかもしれない。あなたの先祖が人知れず罪を犯しているのかもしれない。

あなたは、そこまで責任を負わなければならないのかと不審に思うかもしれないが、あなたの一身はあなただけのものではない。紙草は泥のないところに成長することができず、葦は水のないところに成長することができない。

その泥と水があなたの糧であるならば、それのために戒められることがあったとしても何を恨むことがあろうか。

ビルダデの言葉は、たとえば、親鸞の言う「機縁」ということを思い起させます。もし親鸞の前に、体中をかさぶたで蔽われたヨブのような人間が現われて、自分は一体何の罪科があってこんな目にあわなければならないのか教えてほしい。そう言ってきたら、どうするでしょう。

ビルダデと違って、親鸞ならこんなふうに答えるのではないか。

あなたの罪科は、あなた自身のものであるとは限らない。あなたとは直接関わらない二世も三世も前の人間の犯した罪であるかもしれない。だが、そういう罪を負わされて、苦難のなかに投げ込まれているあなたであるからこそ、あなたは救われなければならないのだ、と。

しかし、当然ながら、ヨブの前に親鸞は現われません。

蛆のような人、虫のような人よ

ビルダデにも他の二人の友人の言葉にも、結局自分を癒してくれるものを見い出せなかったヨブは、あなたがたは、偽りをもってうわべを取り繕う者、みな無用の石屋だと言って突き放してしまいます。すると、そう言われた彼らは、ヨブに向かって口々に、悪しき者よと非難し始めるのです。

あなたは神を怖れることを捨て、神の前に祈ることをやめている。あなたはわれわれを獣のように思っているかもしれないが、そう思うあなたこそ、悪しき者だ。

自らのたのむところから引き離され、絶えず怖れの王のもとに追いやられる。その火の炎は光を放たず、天幕の内の光は暗く、彼の上の燈は消えてゆく。そして諸々の暗黒がその宝物のために貯えられ、人が吹き起こしたものでない火が彼を焼き尽くし、残っているものをことごとく滅ぼすであろう。これが悪しき者が神から受ける報いだ。

そこまで言われて、ヨブだって黙っていられません。

あなたがたは、私を悪しき者というが、どんな根拠があってそう言うのか。私がこの身の不幸を呪ったことがそれほどまでに悪しきことであると言うならば、一体世の中に顔向けのできないような所業を重ねながら、平然と生きながらえ、繁栄さえも手にしている者たちを何と呼ぶべきであろうか。

見よ、災いの日に悪しき者は災いから免れ、怒りの日にかの者は救われる、そんな理不尽なことがどうして許されるのか、是非ともその理由を聞かせてほしい。

そう言って詰め寄るのですが、そうすればそうする程、友人たちには、ヨブが「増長心」にとらわれていくように見えてしかたがありません。彼らは、たとえ神が悪人を益するように見えたとしても、ひたすら神の前で己れを低くし、黄金の前の塵のようにへりくだるなら、必ずや救われるであろうと述べて、何とかヨブの改心を促そうとします。

そうは言っても、現にヨブは体中を陶器の破片で掻き毟りながら、ほとんど虫の息で、それでも納得がいかないと抗弁しているのですから、余程のことがない限り改心などするはずはありません。

本当に塵みたいに平伏して見せれば、たちどころに嫌なできものも引いていくというのであれば話は別ですが。ただ全能の神を前に己れを低くしなさいでは、いつまでたっても埒があかないことはわかりきっています。

ですが、ヨブに、彼ら友人たちの述べるところを、容易なことでは打ち破ることができないということもはっきりしています。彼らは、自分たちこそ内は蛆虫だらけでありながら、「人はどうして神の前で正しくありえようか。女から生まれたものがどうして清くありえようか。見よ、月さえも輝かず、星も彼の目には清くない。蛆のような人、虫のような人の子はなおさらである」と述べることで、いつの間にか面を白く塗り上げる者たちだからです。

結局、ヨブは、「蛆のような人、虫のような人よ」と言う彼らの言葉に対して「私は、断じてあなたがたを正しいとは認めない。私は死ぬまで潔白を主張してやめない。私は堅く我が義を保って捨てない。私はいままで一日も心に責められたことがない」と言い張るばかり。

何か少し憐れになってきます。自分の正義を言い張れば言い張るほど、彼らに似てくるのは目に見えているのですから。それだけでなく、相手を「蛆虫たちよ」と罵れば罵るほど、自分がその蛆虫たちの一人であることを証していることになるのですから。

この堂々巡りから免れるには、自分の「正義」を唱えて、相手を「蛆虫」と罵るのではなく、自分は相手に勝るとも劣らない「蛆虫」であるかもしれない、そして「正義」は自分の方にではなく、相手にこそあるのではないかと顧みることだと思うのですが、なかなかそれができない。ましてや、全身を嫌な腫物に覆われて息も絶え絶えのヨブに、そのことを要求することほど残酷なことはありません。

実際あれほど自分の「義」にこだわっていたヨブも、内心ではすっかり気弱になり、過ぎた年月のようであったらよいのだが、神が私を守ってくださった日のようであったらよいのだが、あの時には、彼の燈が私の頭の上に輝き、彼の光によって私は暗やみを歩んだ、と過ぎ去った日々を遠く懐かしむようになっていきます。

今や、私の魂が私の上に注ぎ出され

苦しみの日々が私を捕らえる。
夜が私の中から骨をえぐり取り
私の痛みはやむことがない。
私があなたに向かって叫び求めても
あなたは答えず
私が立ち尽くしても、あなたは私を顧みない。
あなたは私を抱えて風に乗せ
嵐のうなり声で私を砕く。
私は知っている
あなたは私を死へと
生ける者すべてが集まる家へと帰らせることを。

そういって嘆き悲しむのですが、ヨブの苦しみは一向に和らぐ気配はありません。体中に広がったできものは膿んでかさぶたをつくり、さらにその上から掻き毟るものだから、至るところ血と膿で覆われてしまいます。召使も家族も、もはや誰一人ヨブに近づくものはなく、全くの無一物となって放り出されます。

そうなってくると、改めて、一体自分はどうしてこんなひどい仕打ちを受けなければならないのか、いっそのこと一思いに命を奪い取ってくれたらいいのにという思いにとらえられてしまいます。

三人の友人は、さすがにヨブの姿を見るに耐えかねて、それ以上難じることを避けているのですが、ヨブの目に、もう彼らの姿は映りません。彼は、低い声で一人ごつようにしゃべり始めます。

私がもし貧しい者の願いを退け、孤児に食べさせなかったことがあるなら、私の肩骨は、肩から落ち、腕が付け根から折れてもかまわない、私がもし我が富の大いなることと、私の手に多くの物を得たことを喜んだことがあるなら、また、私がもし私を憎む者の滅びるのを喜び、災いが彼にのぞんだとき、勝ち誇ったことがあるなら、地に茨が生え、雑草ばかりのはびこる荒地となってもかまわない。

世の中には、貧しい者から持てるもの全てを奪い取り、飢えて苦しんでいる子供たちがいても見て見ぬふりをし、自分がどんなに富と権力を手にしているかをこれみよがしに示し、自分のことを少しでも悪く言う者があれば、災いがその上にふりかかることを望み、密かに手をつくして彼を陥れ、遂に思い通りになると勝ち誇ったようにほくそ笑む、そんな極悪人が大手を振って生きているのに、なぜ自分のような人間が家族からも、友人からも、召使からも見離されて、全身かさぶただらけで路頭に迷わなければならないのか。それを思うと居ても立ってもいられない。

もしここに、親鸞という方がおられるならば、私の窮状を察して、この理不尽を正して下さるのではないか。きっと、そうに違いない。

たとえば、ヨブがそう呟いたとします。それにたいして、親鸞ならどう答えたでしょう。ここから先はいうまでもありません、私の勝手な想像ですから、どうぞ聞き流してください。

そういいながら、その人はじっと目をつぶりました。あいだの沈黙が、沈み込むように深く、広大な湖のようでした。それからその人は面を上げ、掌で水をかくようにゆっくりとしゃべり始めました。

機縁とも業縁ともいう不可思議なもの

――そのとき親鸞は、じっとうずくまるヨブの肩を抱くようにして、こんなふうに言葉を発するのです。

ヨブよ、あなたの身を切られるような辛さを思うと、私に答えが出せるかどうか全くおぼつかない。だが、思い切って私の信ずるところを述べさせてほしい。

あなたは、金と力にものをいわせて勝手放題を行なう極悪非道の輩がのうのうとしているのに、どうして自分のような人間が苦しまなければならないのかと言う。が、私から見て、その極悪非道の輩も、あなたのように正しい者も全く同じに救いに与るのだ。苦しみ抜いた者が、浄土に迎えられるというのならば話はわかるが、なぜ、この世の富と権力をほしいままにした輩が、同じに浄土に迎えられるのかという疑問が残るかもしれない。

でも、救いの契機というのは全て等価でなければならないのだよ。誰が救われ、誰は救われないということではなく、問題は「この自分」が救われるということであって、そこには、自分以外の者がどうこうという問題の入りこむ余地はないのではないだろうか。

それでもあなたは、自分がこんなに苦しんでいるのに、彼らは安閑として、人に苦しみさえもたらしている、そのことが問題なのだと言うかもしれない。だが、私には苦しみというのは計りがたいものではないかと思われてならないのだ。あの極悪非道の輩だって、あなたが富と幸せに恵まれていた時、悲惨な境遇の中で苦しみあがいていたかもしれない、その時の苦しみが、彼らの中で富と権力への偏執を培ったのだとしたらどうだろうか。

いやそうはいっても、彼らの苦しみなんか、彼らの財力と権力の由来とするに足りない、世の中には彼らなんかより百倍も千倍も不幸な境涯を強いられながら、信義に厚く、情愛深い人生を送っている人間がたくさんいる、それなのに、なぜ彼らだけが人を踏み付けにして平気でいられるのか、自分が人からいやというほど踏み付けられてきたのだから、その位のことは当然だと思っているのかもしれないが、そんな理屈がどうして通るのだろう、そんな声がどこからか聞こえてくるような気がする。ヨブよ、それはあなたの声なのか。

私は、ぜひともその声に答えなければならないのだが、あるとき、唯円に対してこんなふうに話したことがある。

あなたと同じ疑問に苦しめられ、まるで幽鬼のような姿で彼は私のもとにやって来た。彼がいうには、自分は善人であるとはとても思えないが、少なくとも、人に対して顔向けのできないようなことだけはしたことがない。それなのに、少しも往生を確信することができないのは、どうしたことだろうか。

あなたのいうところでは、自分を憎む者の滅びることを喜び、災いが彼に降り掛かると、勝ち誇ったようにする輩でさえも、往生は必定ということになるらしいが、それなら、殺したいほどに憎らしい相手を現に殺してしまうような人間、さらには、自分の中で、どうしても拭うことのできない屈折した思いをもてあましたあげく、何の関係もない者を手ごめにし、惨殺するような人非人も往生は必定なのだろうか。

もしそうだとするなら、私がいまここに抱えている悩みや苦しみは、いったい何のためのものかと思ってしまう。むしろ、これほどまでに苦しみのたうっている私こそ、往生を約束されてしかるべきではないだろうか。

これにたいして、私は何と答えたか。

往生は、どんな人間にも必定だ。そして、人の不幸は計りがたい。たとえどんな人非人であろうと、彼の苦しみや不遇は決して人間の手で計ることはできない。だからこそ、そういう人間にもまた等しく往生はやって来る。

たとえば唯円よ、あなたは私のいうところを深く信じるか。信じるならば、いまここで千人の人を殺してみなさい。人非人でも往生を約束されているのに、自分の往生が確信できないのは理に合わないというなら、思い切って自分が人殺しの人非人になってみたらどうだろうか。そうすれば、きっと往生は約束されると思われるだろう。

そういうと、唯円は驚いたようにこちらを見つめ即座に答えた。

仰せではありますが、この身の器量では、一人も殺せそうに思いません。

そこで、私はこう語ったのだ。

それで十分ではないか。何事も思いにまかせてなるものならば、往生のために千人を殺しなさいといえば、すぐにも殺すであろう。だが、殺そうという思いをかなえさせてくれる業縁があればこそ、それがなければ、ただの一人たりとも殺すことはできない。これでわかるように、自分の心が善であるから殺さないのではない。また、殺すまいと思っても、百人千人を殺すこともあるだろう。もちろん、百人千人を殺すような人間の中には、殺すまいと思ってもやむを得ず殺してしまった者もいれば、はじめから殺そうとして、というよりも、殺さずにはいられない思いで殺した者もいる。だが、どちらにせよ、そこにはたらいているのが、機縁とも業縁ともいう不可思議なものであることだけはまちがいない。

自分の心が善いから殺さないのでも、悪いから殺すのでもなく、善悪を超えた何ものかによって、殺したり殺さなかったりするのではないか。そうであるからこそ、阿弥陀様は憐れみの心を起こしなされて、たとえ百人千人を綿密な計画のもとに殺しおおせた極悪非道の人非人であろうと、必ず往生すると誓われておられるのだ。

しゃべり終えると、私の言葉を黙って聴いていた唯円は、「善人だって往生するのだから、悪人が往生しないはずはないという教えは、そのことをいうのですね」と一言いって、そのまま去っていった。

聞くところによれば、悪人が往生しないはずはないという私の教えを曲解して、わざと悪をなす輩に対して、それほどまでに悪をなさずにいられないとはよくよくのことであろうから、あなたたちの往生は必ずや叶いますと話して歩いているという。私は、唯円の中で何かが息づきはじめたのに違いないと思わずにはいられなかった。

不幸や苦しみの計りがたいがゆえに往生は一定

ところで、さきほどから親鸞の語るところにじっと耳を傾けていたヨブは、この親鸞の言葉を聞き終えると、ゆっくりと面をあげ、こんなふうに尋ねるのです。

その唯円とかいう方は、私のように家族からも友人からも見捨てられ、持てるものの全てを召しあげられて、仕舞にはこの身体までも害された経験がおありなのでしょうか。私には、あなたのおっしゃるところがいま一つわからないのです。

私のような経験をされた方が、何事もほしいままになし、自身の悪業を誇るような輩に対して、あなたたちは必ず救いに与るというのならば、その心の広さに感嘆する思いもいたしますが、そうでなければ、自分の救いを確実にするために、いたずらに寛大さを装う偽善の徒に過ぎないのではないかと思われてならないのです。

といいますのも、あなたでも唯円様でも、簡単に百人千人を殺すなどとおっしゃいますが、殺された者、あるいは殺された者の親兄弟の立場に立ったことが一度でもございましょうか。

自分が世の中の誰からも顧みられないからといって、残虐な手口で百人千人を殺す、あるいは、権力のなすがままにいかにも正統な手段で百人千人を殺す、どちらにせよ、殺された者はどうして浮かばれるというのでしょう。私にはわかるのですが、殺された者がもし生き返ったとしたら、私など及ばないほどの憤りをおもてにして天をも呪い、地をも怨むに違いありません。

なぜ自分のように正しく生きている者が殺されなければならないのか、なぜ、彼奴のような人間が何の咎めも受けずに生き続けていられるのか。たとえ、犯罪者として相応の罪に服することがあるとしても、どうしてそんな人間が救いに与るなどということがありうるのか。殺しても殺してもあきたりないくらいだ。もし手を下すことが許されるならば、必ず自分が味わったと同じ思いを味わわせてやろう。

きっとそういうに違いありません。いや、当人が生き返るなどということはありえないとしても、のこされた親兄弟の中に、そういう思いの兆さないはずはないでしょう。いったいあなたは、殺された者のその思いをどうなさるおつもりか。

爛れた顔の口元を歪め、異様に興奮した口調で話すヨブの言葉を静かに聴いていた親鸞は、それから一言、

不幸や苦しみの計りがたく、そのゆえにこそ往生は一定と信ずるほかはないと、悲しそうな面差しで述べられるのです。

清冽な泉の水の救い

ここまで話すと、その人は全身の疲れにひしがれたように、不意に口を閉ざし面を伏せ、深い沈黙の底へと沈んでいきました。先程から、身の内を揺すぶられるような思いにとらわれていた私は、その人のために何をすべきかを思いめぐらすのですが、気がついてみれば、私もまた重い疲れのために、容易なことでは座を立つことができないのでした。そして、しばしの沈黙が二人のあいだに流れていきました。

ようやくエネルギーが満ちてきたとでもいうように、その人は、ゆっくりと面を上げ、こちらを

じっと見ながら、言葉を接ぎはじめました。私もまた飽和し、結晶していくものを身に感じながら、彼の話に無言のまま耳を傾けていきました。すると、その人の声が耳元で、風の音のように響いてきました。

私の心には、さっきからひとつの映画、以前に観たあるひとつの映画が映し出されています。その映画の場面について話したいのですが、どうですか、聞いてくれますか。

そういいながら、その人は、少しずつ言葉の穂先を接いでいった。

――遥か北の国の大きな森のはずれに、テーレと言ってヨブのように裕福な親方さんが住んでいました。裸一貫から身代を築きあげただけあって、身持ちよく、人からの信頼厚く、寛大な心と深く信ずる心とを身にまとい、妻と一人娘と何人かの召使に囲まれて、つつがない日々を過ごしていました。

ところがあるとき、思いもかけない不幸が彼に襲いかかるのです。父親と母親の愛情を一杯に受けて育った一人娘のカリンが、狼のような男たちの牙にかかって殺されてしまうのです。

聖誕祭の日の翌日、カリンが、森の向こうの教会にローソクの灯をあげるため、家を後にした時のこと。一緒に出掛けた召使の女とはぐれ、一人、馬に乗って谷添いの道を行く途中、ジプシーのような羊飼いの兄弟に出会います。人を疑うことを知らないカリンは、彼らとすぐに打ち解け、森の中の日溜まりのような草地で午餐に興じるのですが、次第に妙な雰囲気になってきます。

三人の羊飼いのうちの上の二人が、狂暴な牙を剝出しにして襲いかかってくるのです。それは、実に残虐というか醜悪というか、凌辱という言葉がこれほどぴったり当てはまる場面はないんじゃないかと思われるようなシーンでした。私は思わず自分の娘がこんな目に会ったら、その男たちをどうしたって生かしてはおけないだろうと思いました。

案の定、男たちの罪状は、父親のテーレに見つけ出されます。たまたま一夜の宿を屋敷の一隅にほどこされることになった彼らは、寝ているところをいきなりテーレに襲われ、なぶり殺しにされるのです。

入念に禊を施し、復讐を誓ったテーレの前では、さしもの男たちも卑しく惨めな小悪党に過ぎません。テーレは、怒りのなすがままに、悪事に手を染めていない下の弟までもあっという間に投げ飛ばし、殺害してしまいます。その復讐の場面を、テーレに劣らない思いで見つめていた彼の妻は、さすがにまだ年端もいかない下の弟が息を引き取っていくのを、手をこまねいて見ていることはできなくなります。駆け寄って、少年を抱き締める妻と、その横に茫然と立ち尽くすテーレと。明け方の微かな光に包まれたその場面は、怒りと悲しみに彩られて一瞬静止したかのようでした。

やがて、朝の光が差し込んでくるのですが、テーレと妻は何かに打たれたように、召使たちと、森の中の、娘の捨てられている場所に向かいます。ようやく捜し当て、変わり果てた娘の姿を目の前にしたテーレは、妻とともに抱き締め、それからふらふらと歩み出て、神様にこんな祈りを捧げるのです。

ごらん下さい

神よ、ごらん下さい
罪もない娘の死と
私の復讐とを
あなたがさせたのです
お気持ちがわかりません
あなたのお気持ちがわかりません
でも、お許しを乞います
私は心が安らぎません
私のやったことで

もう生きるすべもありません

妻や召使いに背を向け、谷川のせせらぎの方を向いて、胸の奥から絞り出すようにしてこれらの祈りの言葉を口にするテーレの苦渋は、ヨブのそれに勝るとも劣らないのではないでしょうか。

一体どうして彼のように、行ない正しく、神を畏れ敬う者の身に、こんな理不尽な仕打ちが下されなければならないのか。ヨブのように持てるものを全て奪われ、身一つまでも汚されるのも辛いでしょうが、愛する者を凌辱され、怒りのなすがままに、罪のない者までも殺めてしまったテーレの辛さは、筆舌に尽くしがたいものがあると思います。

彼は、神に向かって、娘の死も自分の復讐も、あなたのさしがねですというのですが、その言葉に、もはや怒りは感じられません。そこにあるのは、深い悲しみと静かな怖れだけです。

それから、長い沈黙を間にはさんで、「お許しを乞います」と言い、「心が安らぎません」といい、「生きるすべもありません」と一語一語区切るように言葉をつぐ彼の身に、白々と光が注がれます。

すると、そのとき奇跡が起きるのです。妻と二人で娘の遺骸を抱き起こしたその瞬間、亡骸の横たわっていたその場所から、清冽な水がこんこんと沸き出てきます。

「処女の泉」という映画の題名は、その場面に由来するのですが、たぶんそこに沸き出る泉の水は、すべてを洗い清める神の救いを象徴しているのだと思います。もはや生きるすべはないというテーレはもちろん、この仕打ちはきっと娘を溺愛した科として下されたのに違いないと、自分を責める彼の妻も、さらにはカリンの境遇を嫉妬して、彼女の上に災いの降ることを願っていた召使の女も、そしてカリンを凌辱して殺害し、テーレの手で殺められた二人の羊飼いも、すべて等しく、この清冽な泉の水の救いに与るのです。

いいや、人を疑うことを知らないがために、狼のような男たちに心を許してしまったカリンも、兄たちの犯した罪に怖れおののく弟の少年も、黄泉の国からやって来て同じ泉の水に洗われるのではないでしょうか。

彼らが、無辜の者であるからではなく、彼らも又、テーレや彼の妻や、召使の女や二人の羊飼いと同様、自分の内なる機縁から自由になることのできない卑小な存在であるがゆえに。もっといえば、自分の与り知らない「五世も六世も前」の生において、自分よりも恵まれた境遇にある者を嫉妬するあまり、その者の破滅を願っていたかもしれず、自分の味わってきた不遇からすれば、若い娘を凌辱し殺害するなど何ごとでもないと思っていたかもしれないがゆえに。そして、そのことへの深い怖れの源から、あの清冽な水は湧きだして泉となったのではないでしょうか。そんなふうに思われてなりませんでした。

黄金色の魂の羽ばたき

その人の話は、そこで終わりました。

気がついてみると、消灯後の廊下に、赤い警告灯が灯る時刻になっていました。窓の外には、ぽつりぽつりと人家の明かりが見え、竹藪のあたりはすっかり闇に包まれていました。夜になっても、風は吹きやまないらしく、闇の中でざわざわと枝の揺すられる気配が伝わってきました。

それから、私たちは、無言のまま座を立って、それぞれの病室に入り、寝台に横になりました。消灯後の薄暗がりのなかで、儀式のように繰り返される周りの患者たちの所作が、その夜に限って、私には、このうえなく慕わしいものに思われたのでした。

その後、私は二度と休憩室に彼の姿を認めることがありませんでした。それから幾日かして、その人のいる病室を訪れたところ、同室の患者の話では、あの夜から急に容態が悪化して、数日後には隔離病棟に移されたものの、そのまま帰らぬ人になってしまったということでした。

話に耳を傾けながら、私は、病室のガラス窓に射す陽の光を、茫然と眺めていました。

それから一ヵ月ほどして、私は退院しました。予定通りのことでした。退院するその日もまた、晴れて、風の強い一日でした。病院の門を後に、坂を降りきったところで、私は、病棟の建物を振り返って見ました。八階の休憩室のあたりのガラス窓が、陽の光を反射してきらきらと輝いていました。そのとき、私は、その人の魂がそこで、黄金色にはばたいているのだと思いました。はばたきながら、こちらを見送ってくれているのにちがいないと思いました。

その瞬間、恩寵のようなものを覚えました。

西行の歌の心とは何か

——工藤正廣『郷愁　みちのくの西行』

一生幾ばくならず、来世は近きにあり

西行を描いた優れた歴史小説について書いてみようと思います。舞台は、鎌倉幕府が成立したばかりの奥州平泉、源平の戦いのさなかに平家によって焼失させられた東大寺大仏の復元費用の滅金勧進の任をになって、藤原秀衡(ひでひら)のもとをたずねてきた西行と平泉中尊寺域内の修行僧タケキョとの心の交わしあいが描かれます。

かつて北面の武士佐藤義清(のりきよ)を名乗った西行からすれば、見も知らない一修行僧であるタケキョはみちのくの自然を彩る人と風景の一つにすぎません。だからこそ、このタケキョがいかにして西行の歌の心をわがものとしていくかが問われるのです。著者のモティーフはこの一点に絞られ、タケキョの周りに様々な人物をめぐらせることで物語は進められていきます。

では西行の歌の心とは何でしょうか。平泉にいたり北上川を渡る西行は、奈良の流刑僧の裔胤(すえ)という渡し守とこんな言葉を交わします。北上川はすべての運命を押し流していく、「年たけて　又越ゆべしと思ひきや　命なりけり　佐夜(さや)の中山」いかにも大げさと思われようが、私が言う命とは、運命と同義と思ってくださってもいい。語る西行は、沈鬱な表情ではなく、どこか若々しく朗らかな表情をみせるのです。中尊寺の修行僧たちを集めた読経追善供養の席上でも、秀衡に紹介された西行は、「一生幾ばくならず、来世は近きにあり」と力のこもった声で繰り返します。

岩木から津軽半島にいたる奥みちのくの調査から帰還したばかりのタケキヨは、そこで見た干ばつの夏と飢餓の村々と、使役されているアイノの人々、植民者の貧窮した暮らしを思い起こしながら、あれはまさに生きた地獄だった、同時に、人間の手ではいかんとも為しがたい自然力の猛威ともいうべきものだった、あの悲痛の慟哭と絶望を、み仏の救いがあるからといって祈ることができるだろうかと思います。

苦難の運命を受け取りながら、なお朗々としてある不世出の歌人

物語は、このようなタケキヨの苦渋に満ちた心が、苦難の運命を前にして、それでも朗らかに生きながらえる西行の心にいかにして染まっていくかを語っていきます。

秀衡の命によってタケキヨは、平泉を後にした西行が、無事、京に戻ったのをその跡をたどって見届けるという任務に就くことになるのですが、師である慈澄からそのことを明かされたとき、任務を終えて平泉に帰還した時に、何事もなく、得度を済ませ晴れて中尊寺役僧となることができるなどとはとても思われません。かつて鎌倉で旅の西行を招いて歌の心を尋ねたこともある頼朝が、行方を追う義経の、いずれ秀衡のもとを訪れることは目に見えていると考え、平泉を攻略し、滅亡

へと陥れないとはかぎらないからです。

そのような重い心をかかえながら、旅に出るタケキヨを、何人もの人々が鼓舞します。比叡山で修行していた頃から西行を憧れてきた師の慈澄、慈澄の付き人で、若くして深い洞察を身につけたセンダン、中尊寺の同じ僧坊の一人で、西行が出家した後も北面の武士を務め、結局は権力争いの渦に巻きこまれた末に、僧となった哲斎、出羽は月山に向かう旅の途次、アイノの人々の住まう地へと案内し、義経の動静について語る山伏の月輪堂、そしてタケキヨをはじめとする仏徒の偶像跪拝を難じるアイノ山伏のサブロウ、現世は夢であるという思いを若き日にその庵を訪れた西行の言葉から会得した山寺の住職円樹、西行の無事を見届けた後、再び立ち寄った山寺で、この山里を救うには、人々個々の浄土からこしらえて行かないとならないと言う寺男の良慶。

物語は、これらの人々とタケキヨを大いなる自然とその風景のなかに描き出しながら、京の嵯峨野での西行とタケキヨの再会を語ります。子供の竹馬の竹を杖にして、ただ肩を寄せながら嵯峨野に落ちる夕日をタケキヨとともに眺める西行がそこには描かれるのですが、この呆けたような西行をこそ、著者は描きたかったのではないでしょうか。

西行の歌の心というならば、その時の西行の「わたしは、いいかい、歌において死ぬる定めじゃ」という言葉からも、その西行に夕べの光と一つになったような寂寥を感じたタケキヨの思いからもうかがうことができます。山寺の住職円樹によれば、仏陀の教えはこの世の人々を救うのが本然だが、歌のことばが救いになるのは、この世に、この現世に心を残すことができるからにほかならない、心がことばとなり、そのことばがまた人々の心となる、だからこそ、歌とはこの世の生きとし生けるものの供養なのです。

だが、このような言葉を西行は信じていたのでしょうか。著者がほんとうに描きたかったのは、たとえば、『無常という事』の小林秀雄が西行のうちに読み取った「いかにかすべき我が心」の、さらに向こうにある心ではなかったでしょうか。小林秀雄は、「いかにかすべき我が心」を、後になって本居宣長の「もののあわれ」について述べながら、「すべて心にかなはぬ筋」において、「あゝ、はれ」と心が動くその心こそが「もののあはれ」を深く感ずる心にほかならないと語りました（『本居宣長』）。さらに小林秀雄は、「もののあはれ」を知ることが、たがいに親しみを現そう、解り合おうとして「やみがたく自然な挨拶」を交わすことにほかならない、そして、この「自然な挨拶」を何度もくりかえすことによってしか、「言語共同体」は生きつづけることができないとも語りました。

それこそが、山寺の住職円樹のいう、心がことばとなり、そのことばがまた人々の心となる、だからこそ、歌とはこの世の生きとし生けるものの供養なのだということではないでしょうか。とはいえ、嵯峨野に落ちる夕日のなかに映し出された西行の心とは、小林秀雄のいう「自然な挨拶」や「共同生活の精神」や「言語共同体」の一歩先を行くものなのです。いや、むしろ一歩後戻りすることによってえられるえもいわれぬ心といった方がいいかもしれません。

著者はその心をこそ、タケキヨに摑ませたかったのです。「タケキヨ殿、あなたは、同時に、このような老いのなかでまだまだ歌が生まれることに感銘して、みずからが恥ずかしく思われたにちがいなかろう」という円樹の言葉にかぎりなく近く、しかし、なお言葉になしえない心というものを描きたかった。西行という老いさらばえて、なお若々しくあり、苦難の運命を誰よりも深く受け取りながら、なお朗々としてある不世出の歌人を通して。

なぜいま絶対非戦論が問題とされなければならないのか

――吉本隆明『甦えるヴェイユ』について

『甦えるヴェイユ』のモティーフ

フランス人の女性哲学者でシモーヌといえば、『第二の性』を著したフェミニズム理論家で、ジャン・ポール・サルトルの伴侶としても知られているシモーヌ・ド・ボーヴォワールがすぐに思い浮かびます。これに対して、シモーヌ・ヴェイユの方は、文庫本の『工場日記』が読まれているくらいで、一般的にはマイナーに属するのかもしれません。そのシモーヌ・ヴェイユについて、吉本隆明が一冊の本を残していることは、もっと知られていいのではないでしょうか。『源氏物語論』を除けば、吉本さんが女性作家や哲学者について論じたのは、『甦えるヴェイユ』だけです。

そんないわくありげな本について書こうと思ったのには理由がありました。安保法案成立から三年が経ち、改憲論議が少しずつ具体化していく中で、日本国憲法の戦争放棄はどのような意味を持つのかについて考えてみたかったからです。とりわけ、かつての皇国少年だった吉本さんが、戦後どのようにして軍国主義国家であった大日本帝国を相対化することになったかを考えてみたいと思いました。

シモーヌ・ヴェイユというと『工場日記』の他に『重力と恩寵』が知られていますが、前者は、真の社会主義を実現するためには労働者の苦難を体験してみなければならないという意図のもとに、ルノーをはじめとする大企業の女子工員となった経緯とその体験を記述したものであり、後者は、キリスト教の信仰をもっとも純粋な形で持ち続けるためには、どのようなありかたが求められるのかについて思索したものです。神を待ち望むというのがそれに当たるのですが、ヴェイユは、そのなかでみずからが苦しみの淵へと沈めば沈むほど、イエス・キリストの恩寵にあずかることを明らかにしました。

こうしてみるとシモーヌ・ヴェイユの思想の根本には社会主義とは何かという問いと人はどのようにすれば信仰をもち続け、救いにあずかるのかという問いが生きていたといえます。吉本さんの関心は、もちろん、前者に重きが置かれるのですが、後者についても並々ならない関心を示しています。

まず前者についてですが、吉本隆明といえば「共同幻想」「対幻想」「自己幻想」というそれぞれ異なった相にある理念を提唱したことで知られています。このような理念を生み出すことによって何を行ったのかといえば、国家・党組織が国民や労働者を抑圧するのは、国民の権利や労働者の自由を守るよりも共同的な体制と権力を維持することを先とするからだということを明らかにしたのだといえます。「共同幻想」は「自己幻想」と逆立するといわれることの一端は、このような国家や、政府、党組織による国民や労働者に対する抑圧と国民や労働者による国家、政府機関、党組織に対する抗いにあるということができます。

このことを、シモーヌ・ヴェイユは社会主義国家ソヴィエトへの批判を通して明らかにしました。この国家は労働者の国家のようなふりをしているが、むしろ国家の共同性や前衛党の権力を優先して、労働者を抑圧しているというのです。たまたま出会ったトロツキーにこの考えを訴えかけ、党を優先するトロツキーとの間で論戦になりました。

同時に、帝国主義を倒すために社会主義国家は武装し抗戦しなければならないとする考えに対しても厳しい批判を行い、どのような戦争もあってはならないとしました。のちにこの考えは、ヒトラーやフランコの独裁権力が進める侵略戦争に対しては抵抗しなければならないと改められ、ある意味では転向したともいえるのですが、吉本さんは、少なく見積もっても、権力や共同的な体制を批判するシモーヌ・ヴェイユの姿勢については、高く評価できるとし、自分の理念を現実の行動で体験するために女子工員となるヴェイユにも特別な視線を向けているのです。

『重力と恩寵』にあらわされた独特の信仰についても、親鸞や宮沢賢治を論じてきた視点から受け止め、イエス・キリストの愛にシンクロナイズしながらも、決してカトリックの洗礼を受けなかった晩年の宗教生活について共感を絶やすことがありませんでした。そこで吉本さんは、受動的であるということ、重力のなすがままになるということが生きることの本質であるというヴェイユの思想を引き合いに出しながら、人間はある大きな不幸や取り返しのつかない苦難や死そのものに出会うことによってしか神の救いにあずかることはできないというヴェイユの言葉(「神を待ちのぞむ」渡辺秀訳)に照らし合わせて、不幸・苦難・死こそが生の本質に目覚めさせる契機であると述べるのです。

何よりも、この行動的な社会主義者と深い信仰者をアマルガムした女性哲学者が、三四歳の生涯を閉じるまでほとんど無名のままにみずからの営みを続けていたということ。そこにひそかな賛辞を呈している点が、『甦えるヴェイユ』の最大の美質といえます。

シモーヌ・ヴェイユの戦争観

ここでヴェイユの戦争観について、さらに掘り下げてみましょう。

二〇一七年度の群像新人評論賞の優秀賞になった川口好美「不幸と共存――シモーヌ・ヴェイユ試論」について、審査員の大澤真幸が、こんな評を書いていました。――この評論は絶対非戦論者であったヴェイユが主戦論者に転じていったという問題を取り上げている点で画期的だが、なぜ彼女がそのような思想的転向を行ったかについて、論じ尽くしているとは思えなかった、と。他の審査員はどちらかというとシモーヌ・ヴェイユの恩寵や純粋不幸といった理念を切り開いていく論の進め方に共感するところがあるようだったのですが、大澤さんの指摘の重大さには及んでいないように思われました。そこで、なぜ、絶対非戦論者であったヴェイユが主戦論者に転じていったかという問題について考えてみることにしましょう。

シモーヌ・ヴェイユは若い頃に父の住んでいる家に滞在したトロツキーと論戦を交わしたといわれています。その時に、ソヴィエト連邦は労働者の国家ではないと批判しました。それは、社会主義革命というのはもっとも虐げられた労働者に正当な権利を与えるために行われるべきなのに、現実の社会主義国家であるソ連は、むしろそのような労働者を抑圧することによって国家機関を優先させているという考えからでした。

ヴェイユはトロツキーと対立する以前に、帝国主義に対峙するためには、労働者は、祖国への帰属を捨てて、インターナショナルな団結のもと戦わなければならないというレーニンの思想を批判して、すべての戦争は悪であるという考えを示しました。ところが、ナチス・ドイツがフランスに侵攻し、傀儡政権を打ち立てると、これに反対して「新しい愛国心」を唱え、全体主義と戦う精神を称揚しました。さらに、スペインのフランコ政権に反対して義勇兵として参戦することを積極的に進めました。

これは、すべての戦争に反対するという理念とどこでつながるのでしょうか。ナチズムやファシズムのような危険な独裁国家が他国を侵略するようなことがあったら、これに敢然と立ち向かうべきなのでしょうか。しかし、シモーヌ・ヴェイユの純粋不幸と恩寵といった考えは、どのような侵略に会おうと戦わないということを全うすることによって実現されるものではないか。それは、イエス・キリストの「右の頬を打たれたら、左の頬も出しなさい」という言葉に象徴されるような考えだからです。

こんなふうに考えてくると、大澤さんの提起した問題が、現在の北朝鮮情勢にも通ずる重大な問題であることがわかってきます。

そこで、シモーヌ・ヴェイユよりも前に、絶対非戦論を唱えた女性革命家ローザ・ルクセンブルクについて考えてみることにしましょう。ローザこそが、「右の頬を打たれたら、左の頬も出しなさい」という言葉を実践することによって、最後には虐殺された人間であると思われるからです。

歴史の天使

ローザ・ルクセンブルクについて考えるには、同じドイツの思想家ヴァルター・ベンヤミンについても考えてみなければなりません。さらには、ベンヤミンの影響を受け、その遺稿を発表するきっかけをつくったハンナ・アレント。このアレントこそが、ヴェイユの戦争観を照らし出す思想家として、ローザに次いで重要な役割を果たすことになるでしょう。

ユダヤ人であるベンヤミンは、ヒトラーが政権を握ったナチス・ドイツの時代に、その追手からのがれようとして、ピレネー山中の小さな町のホテルで、モルヒネ自殺を図り、四八年の生涯を閉じました。死の直前まで推敲していたのが遺稿となった「歴史の概念について」という二〇章あまりの断章からなるテーゼです。

なかで、もっともよく知られているのが、「歴史の天使」と一般にいわれる第九テーゼです。ベンヤミンは、そこでクレーの「新しい天使」という絵に託して、みずからの歴史観を述べています。眼を大きく見開き、翼を広げたその天使は顔を過去の方へ向けています。そこには、次々に重ねられた瓦礫の山が見えるばかり。天使はそこにとどまって打ち砕かれた破片を集め、死者をよみがえらせようとするのですが、パラダイスの方から強い風が吹いてきて、天使を吹き飛ばしていきます。瓦礫の山を眼下にして、後ろ向きになったまま、未来の方へと飛ばされていく天使の姿が象徴しているものこそ「歴史」というものであるというのが、ベンヤミンのいおうとするところです。このようなメタフォリックな表現によって、いったいベンヤミンは何を語ろうとしたのでしょうか。「私たちが、進歩と呼んでいるのは、まさにこの強風なのだ」という言葉が、そのヒントになりそうです。

現代の科学文明、市場原理主義、グローバリズム、高度資本主義と、どの一つとっても天使を吹き飛ばしていく「強風」に値するものですが、ベンヤミンが当時、喫緊の課題としていたのが、ヒトラー独裁の国家社会主義であり、スターリン独裁による共産主義でした。思想的には極右と極左であるはずのヒトラーとスターリンが結託して、最強のイデオロギーを産み出し、歴史の執行人になろうとしていました。それこそが、ベンヤミンにとっては強風中の強風でした。

一九三九年に結ばれた独ソ不可侵条約に、その結託の現実的なあらわれを認めることができますが、根はもっと深いのです。それを明らかにするためには、ローマの時代までさかのぼらなければなりません。

ローザからアレントへ

スタンリー・キューブリックの映画でも知られるスパルタカスの反乱というのがローマ共和政の時代に起こりました。一奴隷だったスパルタカスが、圧政に抗して立ち上がった革命ともいっていい反乱です。ベンヤミンは、そのスパルタカスに大きな影響を受けていました。

ローマのスパルタカスではなく、ドイツ革命のさなかに結成されたスパルタカス団にです。その思想的な支柱だったのがローザ・ルクセンブルク。ポーランド生まれの女性革命家ですが、このローザが、ローマ時代のスパルタカスの反乱に革命の原点を見出していました。ロシア革命を主導したレーニンが、前衛による革命を主張したのに対して、ローザはあくまでも自然発生的な労働者の蜂起を目指しました。さらには、レーニンが万国の労働者によるインターナショナルな団結が、ついには帝国主義国家を倒していかなければならないとして、最終的には戦争もやむをえないと考えたのに対して、ローザは、どのような戦争にも反対しました。

このローザ・ルクセンブルクと盟友のカール・リープクネヒトは、結局、ドイツ社会民主党の手で虐殺されてしまいます。当時のドイツ社会民主党は、ワイマール共和国の中枢を握る政党で、レーニンのインターナショナルとも通じていました。一方で極左組織であるスパルタカス団を極度に警戒し、結局は、のちにナチスの中枢を握る人物（ルドルフ・ヘスなど）が加盟していたドイツ義勇軍の手で、壊滅にいたらせます。

こうしてみると、ベンヤミンが強風中の強風と考えていたのが、このスパルタカス団のローザ・ルクセンブルクを排除した左派勢力と虐殺に直接手を下した右派勢力だったということになります。彼らの危険性を、当時そこまで直観していたのは、ベンヤミンのほかにアレントぐらいしかいなかったとされるのですが、ではなぜ、ベンヤミンとアレントはそのことに気がつくことができたのでしょうか。鍵を握っているのは、アレントの二度目の夫で、一緒にアメリカ亡命を果たしたハインリッヒ・ブリュッヒャーです。

映画「ハンナ・アーレント」でアレントを陰ながら支える穏健そうな紳士として登場するこのブリュッヒャーこそ、ローザ・ルクセンブルクとともにスパルタカス団で戦った闘士だったのです。

ベンヤミンは、このブリュッヒャーを通してローザの思想の薫陶を受け、社会主義や共産主義というのが変幻自在に極右と極左になりうること、そして手もなく結託しうること、そのことによって、ありもしない未来をイデオロギー的に描き出し、民衆に幻想を抱かせることを知りました。その現実的なあらわれが、ヒトラーとスターリンの結託だったのです。

そのような無残な結託が、天使の翼を吹き飛ばす強風となって、眼の前に瓦礫の山を積み上げていくことに、最大の危機を感じ取ったのがベンヤミンでした。だが、そういうベンヤミンも力尽きて消えていくのですが、その遺志を継ぐかのように「歴史の概念について」のフランス語稿を携えてブリュッヒャーとともにアメリカに亡命したアレントは、虐殺と、自死というかたちで生涯を閉じたローザ・ルクセンブルクとヴァルター・ベンヤミンという希有の思想家のなかから、みずからの思想をたちあげていったといえます。

人類に対する罪

それでは、アレントの思想とはどういうものでしょうか。ローザ・ルクセンブルクの絶対非戦論とシモーヌ・ヴェイユの非戦論との違いは、ヒットラーやスターリンやフランコといった独裁政権による侵略に対して、抗戦するかどうかという点です。ローザはまさに、抗戦する代わりに、左の頬も差し出すような態度を示すことで、彼らに虐殺されたのですが、ヴェイユは、あえて抗戦することを選び、自由フランス政府に所属し、フランコ政権を倒すための義勇兵に加わりました。

これに対して、アレントは、ナチス政権下の親衛隊将校で、数百万の人々を強制収容所へ送ったアイヒマンに死刑判決を下したイスラエルの法廷を批判しました。アイヒマンは、ユダヤ人絶滅計画をみずから実践するような悪の権化ではなく、上層部から下命されたことを忠実に行う官僚的な人物であり、その意味では凡庸な悪人にすぎない、もし彼を裁く理由があるとするならば、「人類に対する罪」以外ではないというのが、アレントの考えでした。

ここで、アレントは、ナチスのような独裁政権に対しては、「人類に対する罪」という名で断罪することができると考えているといえます。その意味では、ローザよりもヴェイユに近い。

このアレントの考えに、死刑廃止を唱え、日本国憲法九条を絶対非戦論とみなす高橋哲哉が、「国家の暴力　戦争・死刑・人権」という講演で言及しています。そこで高橋さんは、戦争と死刑とは、人間の報復感情を国家的な暴力として行使する点で共通点があると述べたうえで、「人類に対する罪」を犯した者を「処罰」するという意味では、アイヒマンの死刑を正当と考えたアレントに、批判の矢を向けているのです。

つまりアレントは、報復感情や暴力の連鎖を断ち切ったかもしれないが、彼女が提唱した「人類に対する罪」という視点が、「ユダヤ人という民族に対する罪」を犯したナチスやアイヒマンを裁くに足るものであるかどうか疑問がのこるというのです。これは一見、絶対非戦論を唱えるローザからのアレントに対する批判と受け取れないことはありません。ローザはどのような戦争も悪であると述べたのですが、国家が一人の人間を死に追いやるということでは、いかなる死刑も悪といわざるをえないと考えていたといえるからです。

赦しと絶対他力

だが、私には、アレントの思想に、もう少し深い層を読み取りたいという思いがあります。高橋さんも述べているように、アレントの「人類に対する罪」という理念には、カントの思想がかかわっています。つまり、人間のなかには、他者を手段として扱ってはならないというマキシム（格率）が生きているので、このマキシムを踏みにじるような行為をおこなう者は、人間、この倫理的存在という名のもとに処罰されなければならないという思想です。

それにもかかわらず、この「処罰」が死刑として現れるとき、他者を手段として扱うということがなされる。そういうパラドックスに高橋哲哉は、目を向けようとしているように思われるのです。そのことの重大さを認めたうえで考えてみたいのですが、高橋さんはカントやアレントのなかに生きている、人間を超えた存在との関係ということを見落としていないでしょうか。

たとえば、アレントが「処罰」と同時に「赦し」ということを問題にしたとき、「赦しということの意味を最もよく知っていたのはナザレのイエスである」という意味のことを述べています。つまり、「人類に対する罪」は法的な処罰によってあがなわれなければならないのだが、それにもかかわらず、このような処罰ではあがなわれえないものがどこかに残る。それは「ナザレのイエス」に象徴されるような存在の「赦し」によってあがなわれるので、そこまでいって、初めてあがないということが遂げられるのだとアレントはいおうとしたのです。

このようなアレントの思想は、非戦論を唱えながらナチスやフランコといった独裁政権に対しては敢然と抗戦することを選び、一方において人間そのものの苦難は、神を待ち望むことによってしか救われることはないとしたヴェイユの宗教観に通じているといえます。ただ、ヴェイユの場合には、神を待ち望む者は、みずからのうちに不幸・苦難・死を見出し、それゆえに重力のなすがままになるような受動的生を選び取るのですが、アレントのいう「赦し」というのは、自分一個に限らないたとえばアイヒマンや、ヒトラーといった悪の者にまで適用されます。これはある意味で、親鸞の「横超」にも通じる理念といえないでしょうか。

『教行信証』において親鸞は、父を殺して王位を手にした阿闍世（アジャセ）の怖れとおののきを前に、罪はないと語りかける釈迦の姿を伝えた一節を、『涅槃経』からそのままに、一言もみずからの言葉をはさむことなく、長々と引用しています。そこには、どのような悪の者も、阿弥陀如来の本願の力によって浄土に往生するという絶対他力の教えがあらわれているといえます。このような親鸞からすれば、アレントのいう「赦し」は、「人類に対する罪」なしでの絶対的な「赦し」となって初めて意味をもつということになります。さらに絶対的な「赦し」の立場からすると、ヴェイユの非戦論では足りず、結局はローザの絶対非戦論こそがよしとされるのではないでしょうか。

なぜいま絶対非戦論か

こうして考えてくると、吉本さんが、ヴェイユの政治思想と宗教観のなかに何を読み取ろうとしたのかがわかってきます。憲法九条について、先の悲惨な戦争の結果としてこの憲法が産まれたのであれば、「戦争のモトが取れた」（『わが「転向」』）といっていいと語り、また、この憲法九条を

「本質的な言葉として」（「半世紀後の憲法」吉本隆明、加藤典洋、竹田青嗣、橋爪大三郎・「思想の科学」一九九五年七月）受けとめたいと語った吉本さんは、ヴェイユの非戦論からローザの絶対非戦論までをもふくむ戦争観をもっていたと考えることができます。

たとえば、現在の北朝鮮情勢のなかで、金正恩が日本に対してミサイル攻撃をしてくるようなことがあったとしても、決して抗戦しない。そのことは、自分自身のありかたが、不幸・苦難・死と無縁のものではなく、重力のなすがままになる受動的生にほかならないからです。吉本さんのなかでは、このヴェイユの宗教観は、親鸞の絶対他力に重ねられるとともに、イエスの「右の頬を打たれたら左の頬も差し出しなさい」という教えにも通じるものなのです。したがって、人間はある大きな不幸や取り返しのつかない苦難や死そのものに出会うことによってしか神の救いにあずかることはできないというヴェイユの言葉は、その非戦論を絶対非戦論に限りなく近づけると受け取っているといっていいでしょう。

これに対して、「ナザレのイエスの赦し」ということに、罪からのあがないを見出したアレントは、一方において公的（パブリック）なものということを重視しました。アレントによれば、公的（パブリック）なものというのは、私的（プライベート）なものと背中合わせのようにしてあるものといえます。私的（プライベート）なものが、真に人間的な生活に不可欠なものを奪われて生きること、自分以外の人間によって見られ、聞かれるときに生ずるリアリティを奪われていること、さらには、共通の対象を介して自分以外の人間と結ばれたり、分け隔てられたりすることから生ずる関係を奪われていることを意味するとするならば、それを裏返したのが公的（パブリック）なものなのです。したがって、パブリックとは、人間がプライベートな生を強いられているからこそ、希求されるものと考えることができます。そこに、人間と人間が共に存在し関係しあう場であり、多様な人間どうしを結集させると同時に分離させ、そのことによって共通するものへの関心を絶やさせないようにする場が求められるといっていいでしょう。

ただ、アレントは、実際にギリシアのポリスにおいてこのような公的(パブリック)なものが成立していたといったりもします。そのために、私的(プライベート)なものはオイコスという場に追いやられたものと見なされてしまいます。こういうときのアレントには、現実をある種の思い入れでとらえようとする傾向が見られます。アイヒマンを裁く理由を「人類に対する罪」とする考えも、それに類するといえます。つまり、人類の名においてという理念は、アレントの中のパブリックに対する強い思い入れからあらわれたものといえます。

しかし、注意したいのは、そういうアレントが、一方で真に人間的な生活に不可欠なものを奪われて生きるプライベートな生に対する関心を絶やしていないということです。人間はある大きな不幸や取り返しのつかない苦難や死そのものに出会うことによってしか神の救いにあずかることはできないというヴェイユの言葉の意味は、人間は、このようなプライベートな生を強いられているからこそ、パブリックなものを求めざるをえないというアレントの言葉に通じてゆきます。そして、重要なのは、人間がいかにして神の救いにあずかることができるのかと問うたり、どうすれば真にパブリックな領域を切り開いていけるのかと問うたりすることのなかには、どのような戦争の芽も出る余地がないということです。

悪の者を照らすパブリックな光

そう考えてみると、ヴェイユが、ナチスやフランコの独裁に対して戦うことを選択したということのなかには、ヴェイユ本来の思想からは外れたものがあるということになります。実際に義勇軍に身を投じたということですが、その時のヴェイユは、みずからのなかの重力と恩寵を直視するよりも、現実の情勢に目が行っていたといわざるをえません。同じように、アイヒマンを裁けるとしたら「人類に対する罪」以外にはないと語った時のアレントには、アイヒマンをユダヤ人への罪として裁こうとするイスラエルの法廷に対する反措定を提示しようという思いがあったといえます。しかし、その本来の思想は、真にパブリックなものとは何かと問いかけた時、アイヒマンこそが最もプライベートな場所に奪われている存在ではないかと考えることによって、このような存在をも容れることができてこそ、それは、パブリックの名に値する、というものではないでしょうか。

吉本さんには、独裁との戦いをよしとしたヴェイユや、人類の名において悪を行った者を裁くというアレントの一面は認められません。実際に北朝鮮が攻めてきたら、包丁を持ってでも戦うかもしれないが、戦力を持った国家の一員として戦うことは拒否するという意味のことをいいます。それは、吉本さんのなかで、ヴェイユの思想が本来のすがたで生きているからといえます。同じように、アレントの思想が吉本さんのなかでどのように受けとめられるだろうかと考えた場合、その精髄だけが生かされるのではないかと考えられます。そのことは、以下のように考えてみるとわかってきます。

たとえば吉本さんは、オウム真理教事件が起きた時、麻原彰晃を擁護するような考えをあらわしました。具体的には、麻原の著書からうかがわれる宗教者としての力量を評価したのです。これには、それまで吉本さんの思想に影響を受けてきた者のなかからも戸惑いの声があがりました。

しかし、吉本さんの絶対非戦論が、人間はある大きな不幸や取り返しのつかない苦難や死そのものに出会うことによってしか神の救いにあずかることはできないというヴェイユの思想に通ずるものであると同時に、真にパブリックなものとは何かと問いかけた時、多くのユダヤ人をアウシュヴィッツという最もプライヴェートな場所へと追いやったアイヒマンのような存在をも容れることができてこそ、それは、パブリックの名に値するというアレントの思想と無縁ではないとするならば、麻原彰晃を容れることに問題のあるはずはないのです。

どのような悪の者も、阿弥陀如来の本願の力によって浄土に往生するという絶対他力の教えを親鸞のなかに読み取る吉本さんは、真に人間的な生活に不可欠なものを奪い取らずにいられない悪の者にこそ、パブリックな光が注がれなければならないという考えを受け入れることに吝(やぶさ)かではないと思われます。

こうしてみるならば、『甦えるヴェイユ』が、たんにシモーヌ・ヴェイユの思想や宗教観について語っているだけでなく、ヴェイユを通して、ハンナ・アレントやローザ・ルクセンブルクの思想にまで射程を延ばしていることがわかってきます。私たちは、そういう吉本さんの考えをたどりながら、最終的には、なぜいま絶対非戦論が問題とされなければならないのかという問いにこたえていかなければなりません。

II

加藤典洋・村上春樹

「ただの戦争放棄」と「特別な戦争放棄」
――加藤典洋の戦後観と『9条入門』

1　加藤典洋の戦後観――『敗戦後論』から

「憲法選び直し論」はどこから始まったか

加藤典洋が亡くなったのは、二〇一九年五月一六日です。亡くなる直前まで、憲法九条について膨大な資料を集め、考え、書き継いでいたということですが、そのなかの序に当たる部分が、死後出版というかたちで上梓されました。タイトルを『9条入門』といいます。そこで表明されている一番重要な問題は、「憲法選び直し論」といっていいでしょう。憲法九条にうたわれた戦争放棄の理念を「相互主義」と個別の「自衛権」を認めた「ただの戦争放棄」として選び直すというのが、加藤さんの立場です。

そこでこれから、加藤さんが憲法九条についてこのように考えるようになった理由や、加藤思想の根本について考えてみることにします。ちなみに、私は加藤さんの分類でいうと「ただの戦争放棄」ではなく、「特別な戦争放棄」の立場です。『小林秀雄の昭和』という本を二〇一〇年に出し、二〇一八年に『日本国憲法と本土決戦』という本を出していますが、そこで私の立場については詳しく論じています。そういう立場から、加藤さんの憲法「選び直し論」の意味について考えるというのが、ここでのモティーフです。

『9条入門』は、憲法がどのようにつくられていったのかについて様々な資料を駆使しながら、彼自身の考えを述べた優れた本だといえます。まず、加藤さんが憲法「選び直し論」を唱えるに至った経緯について考えてみます。前提は一九九一年の「湾岸戦争に反対する文学者の声明」です。「声明1」と「声明2」が出ているのですが、「声明1」は「私は日本国家が戦争に加担することに反対します」というもので、これには発起人十六名を含む四十三名が署名しています。そして「声明2」には発起人十六名が署名していますが、全文を引いてみます。

戦後日本の憲法には「戦争の放棄」という項目がある。それは、他国からの強制ではなく、日本人の自発的な選択として保持されてきた。それは、第二次世界大戦を「最終戦争」として闘った日本人の反省、とりわけアジア諸国に対する加害への反省に基づいている。のみならず、この項目には、二つの世界大戦を経た西洋人自身の祈念が書き込まれているとわれわれは信じる。世界史の大きな転換期を迎えた今、われわれは現行憲法の理念こそが最も普遍的、かつラディカルであると信じる。われわれは、直接的であれ間接的であれ、日本が戦争に加担することを望まない。われわれは、「戦争の放棄」の上で日本があらゆる国際的貢献をなすべきであると考える。われわれは、日本が湾岸戦争および今後ありうべき一切の戦争に加担することを反対する。

これは柄谷行人が起草したといわれているのですが、その通りで、柄谷さんは後に『憲法の無意識』という本のなかで、より詳しくこの考えを述べています。柄谷行人からすると、「文学者の声明」の一九九一年から、『憲法の無意識』の二〇一七年までの二〇年近い間、憲法に対する基本的な考え方は変わっていないわけです。この「声明」に対して、加藤典洋は真っ先に批判したのです。

戦後の「ねじれ」と「汚れ」の問題

「ここには、日本の戦後を『ねじれ』とみる視点が欠けている」というのが、批判の要諦です。これは『敗戦後論』で最初に提示されたものなのですが、では、戦後の「ねじれ」とはどういうことでしょうか。加藤さんの論を少し丁寧に追いかけてみます。『敗戦後論』に次のような文章があります。

戦争放棄をうたった憲法が原子爆弾という権力によってもたらされた。私たちはこれを「押し付けられ」、その後、この価値観を否定できないと感じるようになった。私たちは説得されただけでなく、説得される主体ごと変わってしまった。

柄谷行人の起草した声明には、憲法は「日本人の自発的な選択として保持されてきた」と書いてあるが、そんな馬鹿なことがどこにあるか、というのが加藤さんの第一声です。これは自発的な選択ではない、マッカーサーが草案を作り、それを日本政府はそのまま受け入れて、憲法九条は成り立っている、これは常識である。第二次世界大戦を「最終戦争」として闘った日本人の反省とあるが、「最終戦争」というのは石原莞爾の考えで、そこに日本人の反省などあるはずがない、といっています。

声明では、「アジア諸国に対する加害への反省に基づいている」とも書いているが、いまだに政府はアジア諸国に対してしっかりとした謝罪をしていない。そういう事実誤認からなる声明を文学者が出すことは、自分としては納得できない。憲法九条は「自発的な選択」によるものではなく、「原子爆弾」という権力によって押し付けられたものだと加藤さんはいっています。日本は、アメリカによって「原子爆弾」を投下され、大量の非戦闘員を死に至らしめられた、その結果として「無条件降伏」を受け入れ、占領されてきた、それが日本の戦後といっていいのに、そういう事実をただ受け入れるだけで、そのことに対してはっきりとした自覚を持たないまま過ごしてきた。それが「ねじれ」なのだといいます。

日本人全体がそういう「ねじれ」に取り込まれている、では、「ねじれている」ことをちゃんと意識して、それを述べた文学者にどういう人がいるか。加藤さんはまず、太宰治をあげます。たとえば、「冬の花火」の女主人公の以下のような独白――「負けた、負けたというけれどもあたしは、そうじゃないと思うわ。ほろんだのよ。滅亡しちゃったのよ。日本の国の隅から隅まで占領されて、私たちは、ひとり残らず捕虜なのに、それをまあ、恥ずかしいとも思わずに、田舎の人たちったら、馬鹿だわねえ」。

これほどまでに日本は負けたのだ、占領されたのだ、捕虜なのだというように、ここまでの意識を持っている日本人はほかにいない、というのが加藤さんの認識です。ここまで考えないと日本の戦後を考えたことにはならない、柄谷行人の声明にはそういうものがない、ないものは「ねじれ」だけでなく「汚れ」についての意識だともいいます。

戦後の原点には「汚れ」がある。では、原点にある「汚れ」とはどういうものか。――

そういうふうに加藤さんは論を展開していきます。負けて、滅んで、占領されて、みんな捕虜になったのに、これを「汚れ」と見る視点がない、日本の戦後は、「汚れ」からはじまっているのに、そのことにまったく気がついていない、気がついていないことが「ねじれ」の構造なのだといいます。さらに次のことも書いています。

戦争の死者というとき、私たちは戦争で死んだ「無辜の死者」を先に立てる。その中身は、原爆などの戦災の死者であり、二千万のアジアの死者であり、そこに、侵略者である「汚れた」死者は位置を与えられていない。ここで三百万の自国の死者はいわば日陰者の位置に置かれる。――

これが『敗戦後論』でよく知られたテーマです。三百万の自国の死者に哀悼を捧げるのが先なのか、二千万のアジアの死者を悼むのが先なのか、自分たちは汚れているということを先に考えると、侵略の先棒を担いだ死者たちは別の意味で「汚れた死者」だと考えられる、ところが、自分たちの戦後の「汚れ」を完全に失念しているのと同じように、侵略戦争の片棒を担いだ死者たちのことも失念している、日本の戦後には、侵略者である「汚れた」死者に与えられた場所がどこにもない。ここから三百万の自国の死者への哀悼という言葉が出てくるわけです。

これらを、「戦後の自己欺瞞」といえるとしたら、

> 戦後の自己欺瞞から自由になるためには、この欺瞞の起点をなすのは、平和憲法がそもそも「武力による威嚇」によって生まれているという原点に潜む「汚れ」であることを直視し、この「汚れ」をそれこそ「わが国が敗戦の結果背負わされた十字架」として引き受け、そこにひそむ「ねじれ」を生きる方途が模索されなければならない。

非常にインパクトのある表現です。『9条入門』も大変まとまった本ですが、『敗戦後論』は加藤典洋の文学的資質が全開したような本で、こういう主張を述べるときも、文学によって裏づけられています。引用した表現に、それがよく出ているといえます。

太宰治、大岡昇平、小林秀雄

加藤さんは、太宰の他に戦後の「汚れ」や「ねじれ」を意識していた文学者として、大岡昇平をあげています。大岡昇平の『レイテ戦記』について、敗者の目から見られた戦争が浮き彫りにされているといった意味のことを述べています。また、「白地に赤く」という文章の「われわれが乗るのは復員船に成り下がった信濃丸で、船尾に日の丸が下がっていた。海風で汚れたしょぼたれた日の丸だった。私が愛する日の丸は、こういう汚れた日の丸だった」といった一節に共感を示しています。ここから加藤さんは、

> 私たちは、正義、法、誇りといったものについて「よごれ」「しょぼたれた日の丸」を、手にしている必要がある。
> ―――

と書いています。このあたりから、なぜ「ねじれ」に重点を置いているかが分かってきます。戦後の日本人が、「ねじれ」をまったくないかのように考えているのは、かつて皇国思想を正義のシンボルとしていたのを、戦後になって、アメリカから与えられた民主主義を正義のシンボルとしたからだ。それが憲法9条にあらわれている理念である、加藤さんには、そのことに対する根強い批判があります。大岡昇平の「汚れたしょぼたれた日の丸」という言葉に共感するのも、そのためなのです。日の丸は皇国思想にとってのシンボルであったのに、戦後も象徴天皇のもと日の丸をシンボルとして立て、新生日本を打ち立てていった。しかしその日の丸は、「汚れたしょぼたれた日の

丸」であることが本当なのに、いつも義や理想や誇りのシンボルとして立てようとする。「ねじれ」や「汚れ」に自覚的であった文学者として、太宰治、中野重治、大岡昇平をあげているのですが、では小林秀雄の次の一節からそれは伺われるでしょうか。これは私のモティーフですが、小林は次のように書いています。

日本の再武装の是非に就いて世論調査が行われているが、再武装を是とする人々の数も多いようである。日本国民は、先日自ら作った憲法を忘れているような有様であるが、これは人間の誓言は、事実の前でいかに弱いものであるかを語っている。敗戦という大事実の力がなければ、ああいう憲法は出来上がった筈はない。又、新しい事実が現れて、これを動揺させないとは、誰も保証出来ない。戦争放棄の宣言は、その中に日本人が置かれた事実の強制力で出来たもので、日本人の思想の創作ではなかった。私は、敗戦の悲しみの中でそれを感じて苦しかった。

（小林秀雄「感想」）

これは、昭和二五年に再武装の問題、九条の問題をめぐって『群像』が世界の有識者にアンケートをとったのですが、そのアンケートを読んだ時の小林秀雄の言葉です。小林の憲法観というのは、それまで明らかにされたことはなかったので、貴重な発言といえます。この発言で小林は「ねじれ」や「汚れ」を意識しているでしょうか。「事実の強制力」だと書いているから、やはり小林も「押し付け」だと考えている、憲法や戦後日本は、アメリカに負けることによって、ねじれた形でできあがっている、小林秀雄も「ねじれ」や「汚れ」から何かを考えているように受け取れます。これについて『日本国憲法と本土決戦』のなかで私は次のように論じました。

小林がここでいっているのは、「事実の強制力」ということである。それを「敗戦という大事実の力がなければ、ああいう憲法は出来上がった筈はない」という言葉で述べるのだ。

小林は、憲法はアメリカから強制されてとか、GHQから強制されてとか、ニューディーラーの思惑のままにとか、そういういい方はしていません。「敗戦という大事実」に強制されたというい方をしています。

ここには明らかに、いかなる救済も、人間の意志を超えた超越者の予定のもとでしかおこなわれないという思想が影を落としている。どのような平和への希求も、「敗戦という大事実」の強制力のもとでしか実現されない。まさに「戦争放棄の宣言は、その中に日本人が置かれた事実の強制力で出来た」のである。小林がいおうとしたのは、そのことにほかならない。

この「大事実」というのは、具体的な何かとしては特定できない、ある種の超越と考えたほうがいいのではないでしょうか。たとえば大澤真幸は「第三者の審級」といった言葉で説明しますが、いわゆる絶対的な力をもってこちらを抑えてくる超越者とはちがいます。むしろ、そういう力の前で敗れていくものの思いを内に秘めた超越といえます。柄谷行人は『憲法の無意識』のなかで、超越はフロイトの言う「超自我」のようなものだと書いています。それは日本人の無意識にあるものにほかならないというわけです。

確かに「超自我」には、「自我」に規範を植えつける超越的な存在という意味合いがありますが、一方で、「自我」を動かす無意識の欲動という意味が含まれています。それをフロイトは、「エス」といいましたが、「敗戦という大事実」は、「エス」のように日本人の無意識にはたらいていたと取ることができます。

実際にそう取れるだろうかという疑問もあると思うので、私はこんなふうに書きました。

> だが、これまでの小林秀雄批判は、このことよりも戦争放棄の宣言が「日本人の思想の創作ではなかった。私は、敗戦の悲しみの中でそれを感じて苦しかった」という一節の方に注意を向けてきた。憲法がホイットニー、ケーディース、マッカーサーをはじめとするＧＨＱの思惑のもとで作成され、日本の憲法学者の見解が入る余地はなかったということに対する慚愧の念が語られているとみなしてきた。それだけでなく、憲法が「日本人の思想の創作ではなかった」という一節に、日本人の主体性のなさを思い嘆くすがたを読み取ってきたといえる。

小林秀雄は保守的な考えをもっている評論家だということで、たとえば「近代文学」の文学者たちから批判され、戦争責任を問われました。それに対して「利巧な奴はたんと反省してみるがいいじゃないか」と啖呵を切ったのは有名な話です。小林秀雄は、日本人が主体的に憲法を創作しなかったのはだめな点だといっているように見えますが、私にはそうは思われないのです。

それを私は、以下のように明らかにしていきました。戦争放棄の宣言が「日本人の思想の創作ではなかった」という一節には、日本人の集団主義や責任感のなさへの慨嘆を読み取ることができるという考え——たとえば、笠井潔に『8・15と3・11——戦後史の死角』という非常に重要な本があるのですが、そこでは、戦後の8・15と東日本大震災の3・11を重ね、日本人あるいは政府、東京電力などすべてにわたって、責任感のなさや集団主義が貫かれている、とされています。そのことを笠井さんは「ニッポン・イデオロギー」といって批判します。

しかし、もし小林のなかに笠井のいう「ニッポン・イデオロギー」に対する批判があったとするならば、「戦争放棄の宣言は、その中に日本人が置かれた事実の強制力で出来上った」というような言葉が述べられるはずはない。むしろ小林のなかには、日本人がどのように集団主義と島国根性に毒されていようと、「敗戦という大事実」の前に首を垂れるだけのエートスを持ち合わせているということへの確信があった。それは、同時に、こちら側の意図を超えた超越者というものの存在を、無意識のうちにも感じ取ることができるということなのである。

したがって、憲法が「日本人の思想の創作ではなかった」という言葉には、そういう超越者の予定を前に、みずから刻苦精励することによってその恩寵を手に入れるまでにはいたっていないという意味が込められている。にもかかわらず、日本人はいずれ、みずからがおかれた事実の強制力に気づき、この刻苦精励を進めずにはいられなくなるだろうというのが、小林の真意なのである。

たとえば、戦後の日本人についての吉本隆明の言葉があります（『丸山眞男論』）。復員してきた兵士たちを見た時の言葉なのですが、最後まで日本兵が本土決戦を進めたり、なにか特別な決断をするのかと思っていたら、なにもやらなくてあらゆるものをリュックやカバンに詰め込んで、早々に自分の故郷に帰っていった、なんのことはない、がりがりのエゴイストだった、と吉本さんは書いています。笠井さんはそのあたりも根拠にして「日本人の責任感のなさ」といっているのですが、私は少し違う取り方をしています。

吉本さんは一方で「大衆の原像」といういい方をしています。どんなにエゴイスティックなことをやっていても、大衆や民衆には決してそれだけではないものがある、「生まれ、婚姻し、子を生み、育て、老いた無数のひとたち」（『初期ノート』）といういい方からは、政治や社会の動向に左右されながらも、それを超えたところで営まれる生のすがたがイメージされます。それは、生そのものといったイメージではなく、倫理（エートス）の問題をはらんだ生のありかたといえます。もっといえば、生そのものを超えたエートスといってもいいでしょう。これについては、先の『日本国憲法と本土決戦』で「個人の生を超えてゆくもの」といったかたちで論じました。

ただし、政府や3・11の東電の支配層などには責任のない集団主義がはびこっていることは事実で、そこは区別しておきたいという気持ちはあります。そう考えてくると、小林秀雄の「憲法は日本人の創作ではなかった」という言葉は、日本人全体への批判ではない、日本人は大事実の前に首を垂れるものをもっているはずだ、いずれそのことが明らかになってくるに違いないということをいっているのではないか、そういう意味では、小林秀雄にも、吉本さんとは異なったかたちながら日本人に対する根強い信憑のようなものがあると取れます。「国民は黙って事変に処した」というよく知られた小林秀雄の言葉も、そういう日本人というか、国民というか、そういう存在に対する信憑がないと出てこない言葉です。

「義」や「理想」に抗った加藤典洋

この小林秀雄の憲法観には、『憲法の無意識』の柄谷行人の憲法観に通じていくようなものが認められます、ひいては、湾岸戦争に反対する文学者の声明2の柄谷さんが作成したとされる声明文に通ずるものがあるといえます。それは何かというならば、人間のなかには、おのれを超えたものに対する信憑のようなものがどこかで生き続けているという信念です。それを柄谷さんは、「理想」といったものへの信憑として受け取っているといえます。『トランスクリティーク――カントとマルクス』以来、柄谷さんのなかには、明らかにそれがあるのです。カントの「永遠平和のために」に拠って立つような思想です。

小林秀雄の中にも、はっきりとした平和主義があるわけではありませんが、何か「理想」のようなものに対する思いがあります。ある意味では小林秀雄ほどニヒリズムを追求してきた評論家はいません。その代表がドストエフスキー論で、『罪と罰』や『白痴』や『悪霊』や『カラマーゾフの兄弟』について、日本人の中では最も深く論じた人です。何を論じたかというと、ドストエフキーのなかのニヒリズムについてです。ニヒリズムについて論じながら、ニヒリズムをくぐった先に何があるのか、その先に見えてくる光のようなものを、小林秀雄という人は絶えず見ていました。後ろ向きになって前方を見ていたようなところがあるのです。そういう意味では、小林秀雄にも「理想」に対する信憑がどこかで生き続けているといえます。

しかし、加藤典洋が抗(あらが)ったのは、そういう思想・信念に対してでした。加藤さんは小林秀雄については色々なところで色々なことを書いていますが、「小林秀雄論」というかたちではっきりとは残していません。小林秀雄には違和感を持っていたと思います。中原中也には深く心酔しているのですが、小林秀雄にはそうではありません。それは何かというと、小林秀雄が持っているおのれを超えたものへの信憑、それは「理想」への信憑としてあらわれたのですが、そういうものに対する違和感です。そういう意味では加藤さんは一貫した批評家でした。何が一貫していたかというと、この違和を偽らないという点です。この意味では、自分の思想のスタンスをずっと貫いています。その点がよく出ているところを、私の書いた文章から引いてみます。

私はそういう彼の真情が最もよく出ているのは、次のような『敗戦後論』の一節ではない——

かと思っている。サリンジャーの『ライ麦畑でつかまえて』のホールデンは、「理想のために高貴な死を選ぼうとする」のでもなく「義のために卑小な生を選ぼうとする」のでもなく、ただ「自分を小さな雑魚の群れに代え、かけらのようなものにする」真理への抵抗を行ったのだ、と。この時、加藤さん自身が「自分を小さな雑魚の群れに代え、かけらのようなものに」していたのではないかと思うのだ。

これは加藤さんが亡くなってすぐに書いた追悼文です。サリンジャーと太宰治を『敗戦後論』で論じていますが、ここは白眉です。太宰については今までにない視点で書いていますし、サリンジャーについては、ああサリンジャーかくらいにしか読んでいなかった『ライ麦畑でつかまえて』を、実に大胆に読み込んでいます。一番いいのがここです。

不良少年のホールデンが、学校で暴れたり家出をしたりするのですが、本当に尊敬するアントリーニ先生に、自分はどういうふうに生きていったらいいか分からないということを告白するのです。それに対して、成熟した人間は義のために卑小な生を選ぼうとするのだ、理想のために高貴な生を選ぼうとするのは未成熟な人間だ、そういうことを伝えるのです。ホールデンは全然納得しません、でもその根拠がいえない。加藤さんはその代り、次のようにいってやるのです。

「理想のために高貴な死を選ぼうとする」のがだめなのはもちろんだが、「義のために卑小な生を選ぼうとする」のもだめなことではちがいはない、つまり理想や義は不良少年を救わないのだ、「自分を小さな雑魚の群れに代え、かけらのようなものに」する抵抗だけが、ホールデンの生きる道だ、だからホールデンは、「お兄ちゃんはいったい何がしたいのさ」といった妹の言葉に、ライ麦畑でボール遊びをしている子供たちがいて、その向こうに崖が控えているとしたら、夢中になってボールを追いかけてそのまま崖に落っこちそうになった子供をキャッチする役だったら引き受けられるかもしれない、それが加藤さんの答えです。私は『敗戦後論』を読んで見事だなと思ったのですが、ここは加藤典洋の発するもっとも優れた声のひとつだといっていいでしょう。

2　憲法「押し付け論」を吉本隆明「接ぎ木（グラフト）国家論」から考える

吉本接ぎ木（グラフト）国家論とは

「理想」やそれに類するものをきらった加藤さんは、憲法九条についての自分の立場は、「ただの戦争放棄」であるといっています。これに対して私は「特別な戦争放棄」の立場に立つ人間なので、「理想」といったものを人間がもつことには意味がある、ただ、その持ち方が問題だと考えています。そこにたどり着くまでに、こんなふうに考えてみました。

吉本隆明に接ぎ木（グラフト）国家論（「南島論――家族・国家・親族の論理」）というのがあります。外来の勢力が、もとあった共同体や国家を接ぎ木（グラフト）することによって、まったく新たな国家や共同体をかたちづくることが歴史の中で繰り返し行われてきたというのです。これを、加藤さんの「汚れ」「ねじれ」になぞらえるなら、接ぎ木（グラフト）された台木は、汚れしょぼたれることになり、そのことを自覚しない接ぎ木（グラフト）樹木はねじれたものになるということになります。つまり、外来勢力によって接ぎ木（グラフト）されて出来上がった共同体や国家は、そのことを「汚れ」として受け取ることができないかぎり、「ねじれ」から自由になることはできない、ということになるのです。

　しかし、吉本さんがそこでいおうとしているのは、以下のようなことなのです。外からやってきた勢力が台木の上に接ぎ木（グラフト）する、そして新しい木ができる、外来の勢力が台木に接ぎ木（グラフト）されているために、木はこれまでとは違ったかたちをとっているが、全体を見ると、台木はこれまでのものをどこかで生かしている。これが接ぎ木（グラフト）国家論です。

　実際、古代の様々な共同体のありかたをみていくと、接ぎ木（グラフト）が色々なかたちで行われたに違いないと吉本さんは考えています。大和朝廷も騎馬民族による征服説とか、神武天皇の東征説とかいろいろありますが、外からやってきた勢力によって接ぎ木（グラフト）されてできたのが大和朝廷だと考えた場合、そこには、台木に当たるもとの国家や共同体のエートスが生き続けているといいます。接ぎ木（グラフト）された国家である大和朝廷は、当然「汚れ」たものであり、それを「汚れ」と受け取らないかぎり「ねじれ」から自由になれません。しかし、それ以上に重要なのは接ぎ木（グラフト）国家という新たな共同体（国家）のなかに、それをそれたらしめる何かがあり続けるということです。

　たとえば、押し付けとされる憲法であっても、それをあらたな形で生かすようなエートスが、台木のかたちで存在しているというふうにも受け取ることができます。吉本さんの接ぎ木（グラフト）国家論に照らして、戦後の日本国家や日本国憲法を受け取るならば、たとえアメリカという強大な外来勢力によって接ぎ木（グラフト）されたものであっても、それを新たなかたちで生かすようなエートスが存在し続けているということになります。

加藤さんは、憲法は押し付けられたものである、だから選び直さないといけないといいます。しかし、憲法を戦後日本に接ぎ木されたものと考えると、そのことによって新たな「接ぎ木日本国」ができていますから、選び直すまえに、この「接ぎ木日本国」とは何かということを考える必要があります。この接ぎ木の台木になっているものは何か、それは、それまでの日本国といったものではない、むしろ、接ぎ木された憲法を憲法たらしめるものといえます。それは、国民が主体的に選び直さずとも、小林秀雄的にいうならば「黙って処する」仕方で、吉本隆明的にいうならば「大衆の原像」的なありかたで、憲法を生かしめる何かです。

このことを明らかにするためにも、憲法は原爆という権力によって押し付けられたものという論理をどう受け取るかについて考えてみなければなりません。

「原爆投下」についての考察

憲法は原爆という権力によって押し付けられたというのは、もちろん加藤説です。加藤さんの処女作である『アメリカの影』の「戦後再見」という文章の中では、「原爆民主主義」という言葉が使われています。今回の『9条入門』でも日本への原爆投下は、最初から計画されていた、たとえルーズヴェルトが大統領として日米戦の最終ラウンドを指揮していたとしても、原爆は投下されたであろう、ルーズヴェルトは急死していますから、トルーマンが原爆投下を指揮したということになっていますが、でもルーズヴェルトがそのまま大統領として指揮権を執っていたとしても原爆は投下されただろうというわけです。さらには、トルーマンには、原爆というまったく新しい兵器がどこまで破壊力を持っているかを実験しようという意図があったといわれているが、その意図は、むしろ、ルーズヴェルトのものだったともいっています。

そこから、憲法も戦後の民主主義も原爆によってあたえられたものである、にもかかわらず（というかそれゆえに）、原爆投下の罪について、戦後の日本はアメリカを告発するということを行うことができないできた、というわけです。

これは非常に厳しい見方です。三〇万という非戦闘員をいっぺんに殺害するような兵器を使ったアメリカに対して、日本は一言も告発していない、こんなことがありうるのかということで、侵略した中国、韓国、アジア諸国に対する謝罪と、アメリカの原爆投下の責任を問うことが、同時になされなければならないと加藤さんは力説しています。ここは非常に重要なところです。

もう一つ、笠井潔も原爆に対しては独特の考えを示しています。原爆は、アメリカの世界戦略の一環として日本に投下されたものであるので、そこで、何十万の死者が出ようと、日本人としてアメリカを告発するということにはそれほど意味があるとは思われない、むしろ、そのようなアメリカの戦略に対して永続的に闘いうる戦線を築き上げていくことの方が重要だ、笠井さんの「本土決戦論」です。

天皇の詔勅を無視して本土決戦をすべきだ、そういう言い方もちょっとしているので誤解されるのですが、笠井さんとしては、最終的にはパルチザン戦争だといいます。アメリカは世界制覇の一環として日米戦争を戦ったのであり、原爆投下はその一環として行われている、それに対して告発よりも、パルチザン的な戦いを挑むことのほうが重要だというのです。

私の考えでは、原爆投下を問題にするとしたら、本土決戦によって命を失うかもしれない何十万というアメリカ兵を救い出すためだったといったアメリカのいい分をにわかには信じないということが第一。そして、それが、日本によるアジア侵略、中国侵略を食い止め、そこからの解放を行うという連合国の意図によるものであったとしても、そこには、半分の真実しかないということが第二。むしろ、原爆投下には、遅れて列強の仲間入りをした大日本帝国を征服し、それを接ぎ木（グラフト）するという意図があったということに、批判のポイントが置かれなくてはなりません。

原爆投下が、ルーズヴェルトがひそかにもくろんでいた壮大な実験であったという加藤説、またそれがアメリカの世界戦略の一環であったという笠井説に対しては、原爆を一種の接ぎ木（グラフト）に必要な材料ととらえ、なぜそれほど残虐な接ぎ木（グラフト）が行われなければならなかったかと考えたいのです。

憲法接ぎ木（グラフト）説は分かるが、原爆接ぎ木（グラフト）説はちょっと分からない、という向きもあるかもしれません。そこで、こう考えてみます。

アメリカは原爆を投下することによって、日本を一度、徹底的に敗北させ、滅亡させ、最終的に征服する、そちらのほうに向けていこうとした。これは、古代から行われていた外来勢力がもとある共同体に対し、外側から攻撃を加え、共同体を滅亡させ、征服する、その上に乗っかっていく、その形に似ています。だとすると、そういう征服欲望とか、一つの共同体を完全に敗北させ、滅亡に至らしめたいという欲望のもとには、何があるのかを考えてみないといけません。

そこで、接ぎ木（グラフト）のもう一つのかたちとして、フロイトの『トーテムとタブー』でいわれる「父殺し」というのを例に挙げてみます。ここで接ぎ木（グラフト）とはトーテムに当たります。父親を全員で殺害して新たなトーテムを立てるわけですが、これも一種の接ぎ木（グラフト）だと受け取れます。そして、残虐な接ぎ木（グラフト）には父殺しの欲望が隠されています。なぜ父殺しを欲望するのでしょうか。父のもたらす規範や道徳を拒絶するからであり、さらには、父に愛されていないという不条理の思いからのがれられないからである、いちおうそう考えることができます。

だが、一番大事なのは、「恐怖」ということです。相手を脅威的な存在とみなすことによって、これを覆したいという欲望、こういう欲望について、たとえばウィリアム・ジェームズは「戦争の道徳的等価物」という文章で、ギリシアの時代から戦争は人間にとって「恐怖」から解放されるための手段だったということを述べています。そして、一九一〇年において、アメリカにとっての「恐怖」とは、日本とドイツに対するそれであるといい、とりわけ日本脅威論こそがアメリカに戦争の火種をもたらしているといいます。

ここでいわれる「恐怖」は、たんに相手を怖れるという感情ではありません。むしろ、恐怖をもたらす相手を攻撃せずにいられない思いといえます。もっといえば、怖いから攻撃するというだけではなく、こちら側に、相手に対する複雑な感情が隠されているから、攻撃せずにいられない、フロイトでいえば死の衝動（タナトス）です。

相手を死にいたらしめるような攻撃欲を、フロイトは無意識の奥に想定したのですが、注意したいのは、このような欲望は同時に、怨恨、嫉妬、憎悪といった反動感情を内に秘めたものであるということです。そういう意味では、ヒトラーやナチスをほうふつさせるものがあります。ですから、笠井説によるアメリカの世界戦略の根には、ナチスの世界戦略の反復といった面が隠されているということもできます。

アメリカの世界戦略については、私は笠井さんの説に同意するのですが、ナチスやヒトラーとは全然違うような気がするけれども、根のところには相手を滅亡させるというか、根強い征服欲があります。そこには、恐怖、憎悪、怨恨、嫉妬といった反動感情が根のところにあると考えられます。

したがって、原爆投下を批判するためには、告発（加藤説）ということでも、それに対する決戦（笠井説）ということでもなく、なぜ強力な国家は、うちに征服欲を抱え込むのか、さらには、その指導者や国民のなかに根を張っている反動感情とはどういうものか、そのことを問題にしていかなければなりません。

人間の「生と死の底流」にあるものに触れていく

そこで、この反動感情について、別の視点から考えてみることにしましょう。

先に、押しつけである憲法を接ぎ木（グラフト）とみなし、それを新たな形で生かす台木のエートスについて考えました。同じように、邪悪な接ぎ木（グラフト）としての原爆であっても、それがどのような反動感情を内に含むものであるかを問題にしながら、みずからはいかなる反動感情からも自由であるようなエートスを想定することはできないだろうかと考えてみます。それを台木とする接ぎ木（グラフト）国家は、いったんは「よごれ」を負わされ「ねじれ」を余儀なくされたとしても、それ自体を内側から改変していくようなかたちをとっていくことはできないかということです。

これを次のようにいいかえてみます。
原爆投下のような邪悪な接ぎ木も、憲法九条のような理想主義的な接ぎ木も、根のところでアメリカの「世界制覇」の欲望によって植えつけられたものである。接ぎ木というのは基本的に、相手に乗っかっていくわけですから、まず、なぜ相手に乗っかって、絶対に征服しなければいけないと考えるのかと問うてみなければなりません。アメリカは、日本が侵略戦争を始めたからそれを正すためだ、と名目上はいうのですが、結局同じことをやっている、日本の侵略にしてもナチスの侵略にしても、アメリカの世界制覇にしても、異常に強い征服欲が根を張っている、では、そのことによって接ぎ木の台木が反動感情に浸され、全体がそうなってしまうのかというと、台木だけは生きている、吉本接ぎ木国家論ではそうです。

少なくとも、吉本さんは接ぎ木国家論を唱えた時、どのような接ぎ木によって傷つけられたとしても、決して傷つけられることのないものがある、それが台木の存在だと考えていました。それだけでなく、この台木は、接ぎ木国家をあらたなかたちで生かしていくような何かではないかとも考えていました。それは、後に『アフリカ的段階について』『母型論』において展開される社会や歴史や、文化が形成される以前の基層ともいうべきものであり、また、人間の生と死を隔てることなくその底流としてあるものに通じます。

そういうものが、いかなる反動感情からも自由なエートスとして本当にあるのか、といってみたくなる面もあるのですが、実際フロイトなどは、そういうのを大洋的感情と名づけて、結局は、宗教的なものへと収斂していくほかないものと批判しています。それでいて、フロイトも、ギリシアまで遡って、エンペドクレスの愛と憎悪という思想にたどり着き、そこからキリスト教的ではない「愛」の可能性について述べたりもしています。

しかし、吉本さんが、『アフリカ的段階について』『母型論』であきらかにしたのは、そのようなエートスとは死と隣り合わせであるような不安を絶えずはらんでいて、だからこそ、生そのものを永続的に生かしていくような何かだという考えです。私などは、とても共感するのですが、実際にそういうものが、いかなる反動感情からも自由に存在するというわけではなく、どのように反動感情に汚され、ねじれをもたらされようと、それに毒されきらないで、むしろそこでもたらされた「汚れ」や「ねじれ」を、あらたなかたちに生かしていくような何かがあっていいと思うのです。

実際、加藤典洋は、『人類が永遠に続くのではないとしたら』において、吉本批判をしたり、原子力に対する告発的な批判をしたりしながら、最終的にはみずからの思想の根拠がそこにあることを明らかにしています。

加藤さんが亡くなって、この『人類が永遠に続くのではないとしたら』を読み直しました。ある意味ではとても難解な本で、吉本さんの『「反原発」異論』をはじめ、吉本批判をはっきり打ち立て、そのなかで自分の立場というものを率直に表明しています。ただ、私が惹きつけられたのは、そういう批判や原理といったものではなく、接ぎ木の台木に当たるような存在についてシンクロナイズしている点でした。最終的には『母型論』とか『アフリカ的段階について』で述べられているような思想です。とくに三木成夫さんの『胎児の世界』をはじめとするいくつかの著書について述べられたあたりをじっくりと読んでみてください。何かすべての基層にあるものに魅かれている感じがよく出ていて、今まで加藤さんはこういうことをいわなかったなということを、縷々述べているのです。

3 『9条入門』における加藤思想

「ただの戦争放棄」と「特別な戦争放棄」

ここでようやく『9条入門』に言及することになりますが、、私がこの本の中で最も注目したのは、「ただの戦争放棄」と「特別な戦争放棄」という考えによって、現実主義と理想主義の問題を根底からとらえようとしたことです。ルーズヴェルト、コーデル・ハル、マッカーサーといった第二次大戦におけるアメリカの指導層のなかに、カントからウィルソンを経て流れてきた理想主義的な非戦思想があったことは、さまざまに論じられています。

これに対して、加藤さんは、根本的な批判のスタンスを取っています。そのために、憲法九条は、アメリカ大統領たらんとするマッカーサーによってかつての現人神である天皇の位置に祭り上げられたシンボルであるといった論を展開するのですが、加藤さんからするならば、『敗戦後論』の『ライ麦畑でつかまえて』のくだりでいわれた「理想のために高貴な死を選ぼうとする」のでもなく「義のために卑小な生を選ぼうとする」のでもない生き方というのが、普通の人間、ただの人としての生き方であり、それは、「戦争放棄」についても「相互主義」と個別の「自衛権」を認めた

「ただの戦争放棄」を選び取る理由になるわけです。

この時、普通の人間、ただの人とは、一階に住んでいながら、そのことを偽らないことによって二階の住人たりうるようなものであるといえます。その一階の住人のなかで、「自分を小さな雑魚の群れに代え、かけらのようなものにする」真理への抵抗が行われているからです。こんなふうに考えると、私としてはだんだん加藤思想に近くなってくるのですが、最終的には加藤思想への対位を問題としたいと思います。「対位」という言葉を私はよく使うのですが、たんなる対抗や対立ではなく、批判しつつ並び立つというか、そういう関係を考えたいということです。たとえば『日本国憲法と本土決戦』の中で、笠井潔の思想について批判的に書いているのですが、私の意識では「対位」のつもりなのです。

4. 加藤思想への対位

超越論の問題と柄谷批判

柄谷行人は、『憲法の無意識』において、憲法九条が日本人の無意識であり、超自我にほかならず、そういう意味ではある種の超越者からあたえられたものであると述べています。その点に関して、私は、ここでいわれる「超越」というものをパラドキシカルな意味でとらえることはできないか、というふうに論じました（「日本国憲法と本土決戦――柄谷行人『憲法の無意識』の系譜」）。その根拠は、憲法九条の自衛権も含めたいっさいの戦争放棄（加藤さんの言葉でいえば「特別な戦争放棄」）には、福音書のつたえる次のようなイエスの言葉が反響しているという柄谷さんの言葉です。

少し補足すると、『日本国憲法と本土決戦』のなかで、私は、竹田さんの『欲望論』を詳しく論じていますが（「自己中心性と生成する力――竹田青嗣『欲望論』はどこから来てどこへ行くのか」）、竹田思想が『欲望論』で行っている根本は、超越論批判です。古来からずっと続いてきている超越論は、何回ひっくり返してもまた生き返ってくる、ポスト・モダン思想が完全な相対主義を述べて超越論の息の根を止めたように見えたけれど、ポスト・モダン思想自体がまた新たな超越を立てていると竹田さんは批判しています。

『欲望論』は非常に広範で優れた論ですが、ある意味で加藤さんのいう「特別な」とか「二階の」と形容されるような思想的スタンスを総ざらいに批判して見せた論といえます。私は竹田さんに対しても対位の立場なのですが、それは超越論に対して、パラドックスとしての超越ということをおいてみたいと考えるからです。これについては、後述します。

柄谷さんの引いたイエスの言葉に戻ります。こんなふうに書いています。

> イエスは「右の頬を打たれたら、左の頬を出しなさい」と説いた。それまでユダヤ教では、「目には目を」が普通です。「右の頬を打たれたら、（相手の）右の頬を打ちかえせ」ということになる。（略）では、イエスが「目には目を」を否定したとき、何を意味していたのでしょうか。（略）右の頬を打たれたとき、左の頬を出すのは、見たところ、無力の極みです。

しかし、ここには、互酬交換の力を越えるような、純粋贈与の力があるのです。「愛の力」といってもいいのですが、それはたんなる観念ではなく、リアルで唯物論的根拠をもつものです。

前半の「右の頰を打たれたら、左の頰を出しなさい」というのが戦争放棄の原理だと柄谷さんはいうのですが、まさに、自衛権を含めてすべての戦力を放棄するということを突き詰めるとこのイエスの言葉に行きつきます。そういう意味では、柄谷さんは、よくここまで突き詰めたといえます。

柄谷さんのほかに、イエスのこの言葉について発言したのは「マチウ書試論」の吉本さんです。吉本さんは、どちらかというとイエスに反逆者としてのありかたを読み取っていますから、これはマゾヒストの言葉だといいます。そういうマゾヒストの言葉を掬い取るものがあるとしたら「関係の絶対性」以外ないというわけです。

どちらにしても、ここには極限的な思想の一端がかいま見られるのではないでしょうか。

ただ、柄谷さんについていえば、このあとの、「『愛の力』といってもいいのですが、それはたんなる観念ではなく、リアルで唯物論的根拠をもつものです」というここは、私としてはもっと煮詰めることができるのではないかという思いがあります。というのも、この「互酬交換の力を越えるような、純粋贈与の力がある」といったところからうかがわれる理想主義的な観念について、加藤さんからすれば、そういう「理想」や「真理」や「義」に対する抵抗こそが大事なのだということになるからです。

おそらく、加藤さんは「右の頬を打たれたら、左の頬を出しなさい」というイエスの言葉についても、それは「特別な言葉」であって、自分がよりどころとするのは、「ただの人」に届くような「ただの言葉」であるというのではないかと思います。そういういい方をするとき、このイエスの特別な言葉の向こうに特別な存在である「神」といったものを見ているのだと思います。超越的な存在としての「神」といったらいいでしょうか。

そこで私は、このイエスの言葉を、十字架上の死を経験したのちの言葉として受け取ってみようと思います。マタイやマルコによる福音書において、息絶えるまぎわにイエスの口から「わが神、わが神、なぜ私をお見捨てになったのですか」という言葉が発せられたとされていますが、一般的に、ここからは、イエスのなかの救われなさに対する慚愧の念と神へのかすかな不信の念が読み取られるとされてきました。

ドストエフスキーは、ニヒリズムの根のところにこれを持ってきたりもするのですが、ドストエフスキーも分かっていたような感じがするのです、これはたんなる不信の言葉や慚愧の言葉ではないということを。つまり、ここでイエスがいおうとしているのは、わが神よ、あなたは、わが子をさえ救うことのできない弱きものであったのか、そして、子を見捨てざるをえない父の思いとはこれほどまでにいたましいものであるのか、ということだったのではないでしょうか。

イエスはこのとき、父なる神が、絶対的な超越者でも、愛の力を与える慈悲深きものでもなく、リアルで唯物論的な根拠を持つ存在でもなく、子を救うこともできない、弱きものであることに初めて気がついたのです。

「右の頬を打たれたら、左の頬を出しなさい」といったイエスの言葉は、そのような超越者のパラドックスに出会ったのちに発せられた言葉なのです。福音書では、イエスは復活するとされていますが、復活とは再帰なのではないでしょうか。つまり「右の頬を打たれたら、左の頬を出しなさい」という言葉は、イエスの十字架上の死から再帰したところにあらわれた言葉なのです。

私には、加藤さんが、『人類が永遠に続くのではないとしたら』で何度も引いている「人はパンだけで生きるものではなく、神の口から出る一つ一つの言葉によって生きる」というイエスの言葉も、十字架上の死から再帰したところで発せられた言葉と受け取りたいという思いがあります。

もちろん、加藤さんはこの言葉を引きながら、生きる糧としてのパンの意味について語っています。パンを犠牲にしても「理想」や「義」や「真理」を求めるというのではなく、むしろそういうものに対して、小さな抵抗をおこなうことが、パンを糧とすることによってなされていいはずだというわけです。

しかし、私の考えからすると、神の口から出る一つ一つの言葉というのは、それ自体としての「理想」や「義」や「真理」の言葉ではなく、パラドックスとしての「理想」や「義」や「真理」の言葉なのです。

どういうことかといいますと、「わが神、わが神、なぜ私をお見捨てになったのですか」というイエスの言葉が、神に対する不信の言葉でもなく、慚愧の言葉でもないとしたら、ここにあるのは、フロイトの『トーテムとタブー』でいわれた「父殺し」とは正反対の感情です。恐怖、憎悪、怨恨、嫉妬といった人間のなかの救われがたい感情から最も遠くにある感情といっていいでしょうか。

「父」なるものを怖れたり、恨んだり、妬んだり、憎しんだりするのではなく、「父」なるものは「子」を救えないほど弱きものであるということに気づき、かぎりのない共苦（コンパッション）を心に抱く、それがこのイエスの言葉なのです。

この時、父なる神のもとにあった「理想」や「真理」や「愛の力」は、すべてそこで解体されます。解体されて、あらためてパラドックスとしてあらわれてきます。もっとも弱きものとしての「理想」や「真理」や「愛の力」としてあらわれてくる。それらの前では、どのような反動感情も武装解除されるのではないかと思われます。

そういうふうに考えると、加藤さんが最後に、「自分を小さな雑魚の群れに代え、かけらのようなものにするような」真理への抵抗というところにたどり着いたように、私は私なりの経路で、自分を最も弱きものとしての神にまみえさせることによって、そこから見いだされる希望なき希望というところにたどり着くような感じがしています。そういうわけで、加藤さんは「ただの戦争放棄の立場」であり、私は「特別な戦争放棄の立場」で、どこかで対位がなされうるのではないかと考えています。

内面の表象から欲望の肯定へ
――加藤典洋の村上春樹評価をめぐって

1　村上春樹の評価――『世界の終りとハードボイルド・ワンダーランド』

内面の表象

亡くなった加藤典洋が、鮎川信夫賞の授賞式であいさつをしてくれたことがありました。加藤さんはアメリカから帰って来たばかりで、受賞作の『小林秀雄の昭和』をまだ読んでいなかったのです。「受賞作を読んでいなくて触れることができないのは申し訳ないのですが」といって、代わりにメタフィジック批評ともいうべき『クリティカル・メモリ』について触れてくれました。隠れた問題作だといってくれたのです。

人間の自我とか内面の問題、内閉的な意識をフィクションの形であらわすことができることを実践して見せたという評価でした。私自身も『クリティカル・メモリ』で内面、自我、内閉的、内向的なものを、他者との関係でどう開いていけるかということを、登場するそれぞれの人物を通してやろうとしていました。

なぜ加藤さんが、そのような評価をおこなったのかというと、彼自身のなかに、内閉的、内向的なものをどのように言葉にしていくかというモティーフがあったからなのです。たとえば、一九七二年の「現代の眼」の「言語とは何か」という特集に加藤さんは、「言葉の蕩尽――ロートレアモン覚書」という評論を寄せています。その書き出しが、こんな感じなのです。

落下には際限がない。落下するものはその落下の瞬間から大地を失いはじめている。耳朶の奥ふかい暗闇で、ふいに三半規管の水が揺れる。その時、その遥か下方でゆっくり消滅しはじめているのは大地なのだ。わたしは落下する。落下は、わたしの知らないうちにも、その無限遠点を見とどけている。わたしは落下する。するとわたしのなかを落下するもうひとりのわたしがいる。

非常に内閉的な文章です。ロートレアモンについて書いているのですが、加藤典洋の資質の根のところが、意識の内面のなにかをあらわにする。これが、加藤さんのもともとのモティーフなのです。北村透谷でいえば「内部生命論」です。透谷は「各人心宮内の秘宮」といういい方をするのですが、加藤典洋という人は、まさにこの「心宮内の秘宮」から言葉を発した文学者なのです。

『アメリカの影』で戦後民主主義を批判し、戦後社会に対する批評家としてデビューして、最後には『戦後入門』とか『9条入門』を書いて、文芸批評の社会学的展開を行ったのですが、そういう人とは思えないものがここにはあるのです。しかし、私からすれば、これこそが加藤典洋の根本だということになります。私の『クリティカル・メモリ』を評価したのも、彼の資質と響きあうものがあったからなのです。ですから、文芸批評の社会学的展開をやった彼の力よりも、根の根のところの彼の資質の方に、私はとても近しいものを感じていました。

「『世界の終り』にて」

『而シテ』というリトルマガジンがありました。この一九八七年一〇月の一八号に、私は「村上春樹の物語の後に」（本書所収）という評論を寄稿しています。加藤さんの村上春樹論である「『世界の終り』にて」という評論に言及しながら、自分の村上春樹についての考えを展開するというものです。加藤さんの論の初出は『世界』（八七年二月号）という、あまり文学とは縁のない雑誌なのですが、『君と世界の戦いでは、世界に支援せよ』（筑摩書房）に収録されています。これが加藤典洋の、村上春樹についての見方を集約するものだと私は思っています。

村上春樹の『世界の終りとハードボイルド・ワンダーランド』を簡単に説明しますと、タイトル通り「世界の終り」と「ハードボイルド・ワンダーランド」と二つの章が交互に展開するという構成になっています。村上春樹のいくつかの長編で、このかたちが以後踏襲されることになるのですが、この作品ほど、効果的に発揮された例はないといえます。

まず「ハードボイルド・ワンダーランド」という最先端のワールドがあり、そこでは「組織（システム）」と「工場（ファクトリー）」というのが暗号作成と解読の主権権争いをしています。計算士という暗号処理の仕事をしている「私」とその「私」にシャフリングという最高度の暗号処理を依頼する老科学者が出てくるのですが、そのことをめぐって「組織（システム）」と「工場（ファクトリー）」とどっちからも追い詰められ、「私」は自分の「意識の核（コア）」に閉じ込められてしまいます。これが「ハードボイルド・ワンダーランド」の大筋です。

一方「世界の終り」の章には、「ハードボイルド・ワンダーランド」の「私」の「意識の核（コア）」に秘められていた世界があらわれます。そこには、高い頑丈な煉瓦の塀によって取り囲まれた不思議な街が出てきます。その街の人々は、みな満ち足りた静かな生活を送っています。誰も傷つけ合わず奪い合うことも、争うこともない質素だが、平等な生活、他人をうらやむことも、嘆くことも、悩むこともない生がそこでは営まれています。

しかし、この街に入るためには、自分の影と引き離され、心を失くし、記憶を消されていかなければなりません。そのことを承知で、「僕」はこの街に入っていくのですが、実際に、心と記憶をなくして、満ち足りた生活の中に入っていくにしたがい、引き離された「影」は、しだいに衰弱していきます。捨てられた心と記憶とその奥にあったはずの自我の葛藤は一角獣の脳にためられるものの、その一角獣もやがて死んでいきます。一方、心を捨てきれなかった人たちはいつ果てることなく森の中をさまよいます。

これに対して「僕」から引き離された「影」が、抗議します。この世界は不自然だ、自分の心や記憶をすべて捨てたといっているが、結局は弱いものや不完全なものに何もかも押し付けて、自分たちだけで満ち足りた世界を築いているにすぎない。誰も傷つけ合わず奪い合うことも、争うこともない、他人をうらやむことも、嘆くことも、悩むこともないのは、それらすべてを一角獣に背負わせ、さらには、そういう心の葛藤をかかえて森をさまよう人々がいるからだ、そのことに目を背けて、静かな生活を受け入れていくのは欺瞞というほかないと批判するのです。

そのうえで、「影」は、こんな所からは脱出しなければいけないといいます。それに対して「僕」は一度は同意するのですが、最後に「影」に対して、この街はたしかに不自然かもしれないけれども、「僕」の「意識の核（コア）」に作りだされる世界であり、「僕」にはこの街が何かということを考える責任がある、だからこの街に残る義務があるというのです。

それに対する加藤さんの答えは、「僕」が心や記憶を失くしたというのはいいのだが、この街に対して責任があるというのは受け入れがたい。心や記憶を失くしたということをもっと突き詰めていって、内面をずっと探っていくと、それこそ心宮内の秘宮の奥にいくように、意識の内面の内閉的なところにどんどん進んでいく、それが自然なのだというのです。加藤さんの言葉を引いてみると、

自分の「心」を抜きとり、あるいは石のように無何有郷の彼方に沈め、あるいは瞬間冷凍の後、再びその凍結された内面を胸の空虚に仕舞って、生きていく。（「『世界の終り』にて」）

ということになります。つまり、心や内面を一度冷凍して、冷凍した心を自分の内面の凹型のところに仕舞っていく、そこに果てしのない空虚が残る、そのような内面の空虚をかかえて、カフカ

の『審判』の最後のように犬のように死んでいく、そういう無意味なところにたどり着くのがもっともなので、責任とかそういうことをいうのはいただけない、村上春樹はそこで誤ったのではないか、「世界の終り」の描き方は非常に優れているのだがと評価したうえで、そういっているのです。

このような評価が、内面の奥に関心を向ける加藤さんのモティーフに根差したものであることは間違いありません。

竹田青嗣も『世界の終りとハードボイルド・ワンダーランド』について批評しています（「〈世界〉の輪郭――村上春樹、島田雅彦を中心に」『〈世界〉の輪郭』所収）。竹田さんがいっていることは、この世界は不自然だ、弱いものや不完全なものに何もかも押しつけて成り立っている、だからここから脱出しなければならないという「影」の論理には理由があるということです。

心や内面は、他者との焼き尽くすような関係の中でとらえて行かなくてはいけない、だから「影」とは、他者とのかかわりのなかに入っていって、「〈世界〉への通路をもう一度見出すことの可能性」をあらわすものである、そして、「影」と別れてこの街に残る「僕」とは、みずからの根深い〈世界〉イメージに抗おうとする困難な意志のかたちではないか、これが竹田さんの考えです。

「力（フォース）」という不可視の力

私の考えは、「村上春樹の物語の後に」の後半で次のように展開されています。

加藤さんは触れていないのですが、「世界の終り」の街は、「私」の「意識の核（コア）」が現実化したものです。なぜ「意識の核（コア）」が「世界の終り」になったかというと、「ハードボイルド・ワンダーランド」で「組織（システム）」と「工場（ファクトリー）」の両方から追い詰められ、意識の奥に追いやられて行った、その結果あらわれたのが、「世界の終り」なわけです。

このことは、別にいうと、人間の内面とか意識というものは、それを超えたもの、ここでは「組織（システム）」と「工場（ファクトリー）」ですが、そういう見えない力によって左右される。ただ左右されるだけでなく、それに対してどのように抗（あらが）うかという問題を、内面や意識は負わされるということです。

たとえば、北村透谷は「内部生命」とか「各人心宮内の秘宮」ということを述べたのですが、なぜ「心宮内の秘宮」まで降りていかなければならないかというと、『力（フォース）』としての自然」が、絶えず人間や人間の内面に力を及ぼしているからです。そのようにして、内面や意識を超えた力がこちらに向かってくるということから目を逸らしてはいけない、そう透谷は考えたのです。

透谷は「自然」という言葉を使っているのですが、「力（フォース）」はいつでも自然であるかのように装ってあらわれるからです。こうしてみると、「ハードボイルド・ワンダーランド」の「組織（システム）」と「工場（ファクトリー）」というのは、『力（フォース）』としての自然」であることが一層明らかになります。これが人間を追い詰め、人間の内面を左右していくのです。

そう考えると、村上春樹は現代の最先端的世界と中世的な静謐な街との二本立てを、たんなる物語として書いたのではなく、最先端的な世界のシステムの力が人間の内面にどう影響を及ぼしているのか、心や内面を捨てさせ、影を引き離させるのは、システムの力ではないのか、と問いかけたのだといえます。

最後に、「僕」にはこの世界にとどまる責任がある、と村上春樹は「僕」にいわせるのですが、それはいいかえれば、「力（フォース）」という不可視の力がどういうふうに私たちの意識や内面に加わっているのか、そして私たちはこの力に対して被害者としてあるだけなのか、もしかしたら、この力を生み出した加害者でもあるのではないか、「僕」にはそのことを考える義務がある、ということになるからなのです。

私は「村上春樹の物語の後に」の最後で、一つの例としてドストエフスキーを出しました。ドストエフスキーの作品の中で最も内面的な人物は『白痴』のムイシュキン公爵です。ムイシュキンの場合はそれこそ〝白痴〟ですから、自分の内面の奥についてどう考えたらいいか、そのことを考えることができません。けれども、内面の苦しさはすごく感じている、そういう人物です。

ここで私が引いたのは、イポリートという一九歳の少年とムイシュキンとのかかわりが描かれているところです。イポリートは不治の病にかかり、あと数か月の命と宣告されます。そこで彼は、衆人環視のもとピストル自殺を図ります。ところがピストルに雷管を入れていなかったため、自殺は茶番劇に終わります。

みんなが笑い者にするのですが、ムイシュキンだけは笑えません。なぜ自分だけが死んでいかないといけないのか、なぜ自分はのけ者にされるのか、イポリートはそう考えます。ムイシュキンもまた自分が〝白痴〟として生きてきたことで、絶えずのけ者意識を与えられてきました。それは自分の責任ではありません。では何の、誰の責任なのでしょうか。

イポリートは、はっきりと「神の責任だ」といって、イエス・キリストに強い反抗心を燃やすのですが、ムイシュキンは「何の責任なのか」「誰の責任なのか」ということを一生考えていたいというのです。それは、まさに「『力(フォース)』としての自然」を如実に感じ取っているからなのです。そして、スイスの療養所に入っていた時に見た滝の風景が、心象風景として出てきます。その風景と村上春樹の「世界の終り」の最後、「僕」がその街に残る場面がすごく似ているのです。

降りしきる雪の中を一羽の白い鳥が南に向けて飛んでいくのが見えた。鳥は壁を越え、雪に包まれた南の空に呑みこまれていった。そのあとには僕が踏む雪の軋みだけが残った。

————

この場面は、ムイシュキンが滝のある風景を思い起こす場面を想起させます。「僕」は、「影」と引き離され、心や記憶を失くしていくのは、自分の「意識の核(コア)」が作った世界だからだと考えながら、一方で、そういう世界を自分に強いたシステムの力、いわば『力(フォース)』としての自然」をひしひしと感じています。そのとき、「僕」のなかにいったい「誰の責任なのか」「何の責任なのか」、そもそも「責任とは何か」という終わりのない問いがやってきます。村上春樹は「僕」の内面や「意識の核(コア)」というものを、そのようにとらえようとしました。

しかし、加藤さんはそのことに触れていません。触れていないというか、意識や内面の奥の奥についてリアルに語りながら、それが、システムの力をリアルに感じ取ることでもあるということにまでは言及していないのです。

ここが、私と加藤さんの村上春樹評価の分かれるところなのです。

2　村上春樹のポスト・モダン的世界をどう評価するか——『ノルウェイの森』について

ポスト・モダンの現実化

加藤さんに『村上春樹は、むずかしい』という本がありますが、これは、彼の村上論をコンパクトにまとめたものです。この本で加藤さんは、村上春樹の功績は、ポスト・モダンといわれるものを小説の中で現実化して見せたことだといいます。ポスト・モダンとは何かというとき、こんなふうに考えてみたいというのです。

六〇年代から七〇年代は否定性の時代だった。「自己否定」という言葉が全共闘の理念をあらわす言葉だとすると、否定性を象徴している言葉は、『風の歌を聴け』の「鼠」の、「金持ちなんて・みんな・糞くらえさ」という言葉になります。

それに対して、七〇年代終わりから八〇年代にかけて現れたポスト・モダンの時代は、まず欲望を肯定することからはじまった。それを象徴する言葉は、村上龍の「無敵のサザンオールスターズ」というエッセイでいわれた「喉が乾いた、ビールを飲む、うまい！」「横に女がいる、きれいだ、やりたい！」「すてきなワンピース、買った、うれしい！」。つまり「うまい・やりたい・うれしい」という言葉が、ポップなものを受け入れ、欲望を肯定する時代の雰囲気を端的にあらわすようになったといいます。

ただ、村上春樹の場合は、これほどあからさまに欲望を肯定するというのではなく、『風の歌を聴け』の「僕」の愛読書のタイトル「気分がよくて何が悪い？」という言葉に象徴されるようなどこか悲哀に彩られた肯定だといいます。

たとえば、社会学者の見田宗介は、このような欲望の肯定を「家畜が餌を食み、生殖欲求を満たすことは畜産資本家の資本の再生産の一環であるからといって、それが、家畜のよろこびであることに変りはない」（『現代社会の理論』）といった言葉で述べています。これは、『資本論』にいうところの「家畜が餌を食むことは、家畜自身のよろこびであるからといって、それが資本の再生産過程の一環であることに変りはない」という言葉を反転させたものです。

ここからすると、加藤さんのいう悲哀にみちた欲望の肯定というのが、ポップなものをただ受け入れるだけでなく、ある種の反転としてとらえていく、村上春樹の小説の主人公からは、そういう微妙なスタンスが読み取れるということになります。

それでは、村上春樹が小説の中で現実化したポスト・モダンとは、何でしょうか。

まず、小説の主人公が、総じて都会的で、時代のモードやスタイルに敏感であること、それと同時に、自分の生活や生き方の流儀といったものを身に着けていること、他人に干渉せず、他人から干渉されることを嫌うこと、それはまさにポスト・モダンの時代が実現した相対的な価値観を受容していくことに通じます。そのことが、うまいビールを飲み、それほど深い関係ではない女性ともセックスし、自分の好みに合ったものを消費するよろこびにも連動するわけです。

こういう村上春樹を加藤さんは高く評価するのですが、そのことは、たとえば、セックス描写が、今までの文学作品では考えられないくらい出てくるという点に注目しながら明かされます。主人公はいつでも何人かの女性と性的関係をもっている、そのことに罪悪感は一切ない、それは「気分がよくて何が悪い？」ということを象徴的にあらわしているのではないか、というわけです。

たしかに、その通りで、だから村上春樹の小説にはついていけないという人もいるわけですが、私は、少し違った見方をしています。

村上春樹という人は、漱石を例に挙げてみるとわかるのですが、前期の『三四郎』のようなどこか思わせぶりでいながら、十分にセクシュアルな雰囲気をもった世界と、後期の『こころ』のようなエロス的なものの極北を内にはらんだ世界とをあわせもっているようなところがあるのです。漱石なら、二つの世界を書き分けたのですが、村上春樹は、それをしません。

ですから、先ほど話した『世界の終りとハードボイルド・ワンダーランド』でも、「ハードボイルド・ワンダーランド」の章では、「私」は老科学者の孫娘である「太った娘」とセックスするかどうかを考えてみたり、惹かれあった「図書館の女の子」とは紆余曲折の末、セックスするにいたったりする場面を書くことを忘れていません。そういうどこかライトでセクシュアルな雰囲気と、計算士としての「私」が「組織（システム）」と「工場（ファクトリー）」によって追い詰められていく状況が同時にあらわれ、そのまま、「世界の終り」の不思議な街へと向かっていきます。

ライトでセクシャルな関係と極北といった性的関係

これが、最も効果的にあらわれたのが、次作の『ノルウェイの森』ではないかと私は考えています。

『ノルウェイの森』はキズキと直子、そして直子とワタナベ君との二つの性愛がテーマとなっているのですが、これは少なくともライトでセクシュアルな関係といったものではありません。むしろ、内閉的で極北といった性的関係といえます。それでも、村上春樹はライトでセクシュアルな関係を描くことを忘れてはいず、直子が自死したあとに、京都の療養所を出ることになった同室のレイコさんが、直子の最後をワタナベ君に知らせるために立ち寄った際、何となくセックスをする場面をとても印象深く描いています。一方でというか、こちらが本筋なのですが、直子という女性の、性への怖れのようなものをキズキとの関係、そしてワタナベ君との関係を通して描き出すことで、この小説は、漱石の『こころ』にも匹敵する小説となっているのです。

ワタナベ君とキズキと直子の三人は高校生の頃、たがいにゆるしあうような関係でした。正確には、キズキと直子がそういう関係で、しかも性愛を伴うような間柄であることを承知で、キズキの親友であったワタナベ君は、直子とも近づきになったのでした。ところが、その間にキズキは二人にまったく理由を知らせることなく自死してしまいます。

そのことに衝撃を受けたのは、ワタナベ君も直子も違いはないのですが、直子はワタナベ君と異なって、自分がキズキに性的な満足をあたえることができなかったからだと考えます。つまり、直子はキズキと何度かセックスをするのですが、一度もエクスタシーに達したことがない、心では一体であるのに身体ではどうしても一体になれない、そのことがキズキを絶望させ、死の淵に追いやったと考えるのです。

そういう直子に同情以上のものを抱いていたワタナベ君は、大学生になってたまたま直子と再会することになり、何かを分け合うようにして性的関係を結ぶようになります。しかし、直子はキズキの場合と同様に、ワタナベ君との間でも一体化を実現できません。でもある時、直子の誕生日の夜、初めて彼女はワタナベ君との間でエクスタシーを感じます。

それは、直子にとってこれまでの鬱積をすべて晴らしてくれるような僥倖だったはずです。にもかかわらず、それからしばらくして、直子はワタナベ君の前から姿を消してしまいます。ワタナベ君は、八方手を尽くした末、直子が京都の山奥にある心を病んだ人たちのための療養所に身を寄せていることを突き止めます。

すぐに、会いに行ってあらためて直子との愛をはぐくもうとするのですが、ワタナベ君の思いもむなしく直子は自死してしまいます。キズキと同様、直子もまた理由のない死を選んでしまうのです。

もう一方で村上春樹は、ワタナベ君と同じ大学の下級生である緑という、お父さんを介護しないといけない結構厳しい状況にいながら、基本的にはポップな感じの女性を登場させます。それから寮の先輩である永沢さん、この人は、絶対的な価値などどこにもないといって、責任とか義務とかそういうものに重きを置かない、どこか虚無的な人間なのですが、ある意味で、真正のポスト・モダニストといえます。

ワタナベ君は、彼とガールハントにでかけ、そこで寝る相手を取り替えたりしています。永沢さんの恋人のハツミさんから「ほんとうにそういうことをしたのか」と聞かれると、ワタナベ君は「ほんとうだ」と答える、さらに「どうしてそういうことをするのか」とハツミさんに問い詰められると「ときどき温もりが欲しくなるんです」とこたえる、そういう場面があります。

加藤さんはこの場面は白眉だというのです。


主人公が女性に飢える。好きな恋人はいるがセックスできない。それで、よくないとは思うが、我慢できずに、ガールハントの誘いに応じ、セックスする。そう自ら「正しさ」の前で釈明する主人公が、これ以前に——またこれ以後にも——村上の小説に現れていないことを考えてもらいたい。（『村上春樹は、むずかしい』）

いままでの小説にはない、性的な関係に対するポップな感覚、それをとてもよくあらわしている、加藤さんははっきりとそう書いています。

ここからは、私の見方です。「金持ちなんて・みんな・糞くらえさ」から、「うまい・やりたい・うれしい」といったポップなものの受容、さらには「気分がよくて何が悪い？」といった欲望の肯定へといいたる時代は、一方でポスト・モダン的な価値観が広がっていった時代といえます。

何事にも絶対的な価値は認めない。絶対なるものはどこにもない、たとえば、リオタールの『ポスト・モダンの条件』で大きな物語の終焉ということがいわれました。マルクス主義に象徴されるような歴史観は、虐げられた階級が最終的に勝利を収めるといった物語によって成り立っている。

しかし、現実の歴史を見ると、社会主義の後退と高度資本主義の発展によって、価値のグローバル化が進んでいます。それは、まさに絶対的なものが解体して、欲望だけが独り歩きしている状況といえます。

先ほど話題にした見田宗介の『現代社会の理論』では、このようなグローバル資本主義の矛盾を問題にしながら、一方で「家畜が餌を食む際の家畜のよろこび」といういい方で欲望を肯定しています。それは、たんに「気分がよくて何が悪い?」といった欲望の肯定ではなく、ポスト・モダン的な価値観や価値のグローバル化に抵抗しうるような欲望の肯定といえます。

そういう意味でいうと、『欲望論』を書いた竹田青嗣についても同じようなことがいえると思います。竹田さんにとって欲望というのは、いつでも相関的なものなのです。「うまい・やりたい・うれしい」といえるとしたら、そのことが自分の快を満たすだけではなく、だれにとっても快いものとして受け取られるような場面でなのです。

「気分がよくて何が悪い?」というのも、気分がよいことは悪だといった否定的な言い方への抗弁としていわれるのではなく、気分がよいことは自分だけでなく誰をもより良い生へと向かわせる根本なのだという意味でいわれるものなのです。だから、竹田さん的にいえば、「うまい・やりたい・うれしい」の「やりたい」は取り外して、ひとりでも多くの人が「うまい・たのしい・うれしい」といえるような状況をつくりだしていくことが、ほんとうの意味での欲望の肯定といえます。

それは、同時に「気分のよいこと」を対抗的な意味からも疚しさやうしろめたさからも解き放って受け入れていくことに通じます。端的にいえば、「気分のよいこと」は、人をよりよく生きさせる力になるのです。

竹田さんは、ポスト・モダンについても、日本のポスト・モダンの人たちがいっていたような、絶対的な価値はない、すべては相対的だといういい方は、そのこと自体を動かしがたい絶対性として人に強制しているようなところがある、そう批判します。たとえばギリシアの時代から「ゴルギアスのテーゼ」というものがあり、ゴルギアスは、すべての価値は相対的だ、最終的には無に至る、といっている。このとき「無」は絶対的な無となってすべてに君臨するというのが、竹田さんの批判です。

ゴルギアスの時代からどんな相対主義も、絶対的なもの・超越的なものからのがれられていない、ということになります。

私も、そう思うのです。ポップな時代、ポスト・モダン、相対主義の時代、これは何かというと、自分の欲望だけを肯定する時代だと思うのです。村上龍が、サザンオールスターズの魅力について語る際に「喉が乾いた、ビールを飲む、うまい！」「横に女がいる、きれいだ、やりたい！」「すてきなワンピース、買った、うれしい！」という言葉をもってきたのは、一種のメタファーといえるので、これは、サザンの音楽をたくさんの人と一緒に聴いているときのよろこびをあらわした言葉といえます。

しかし、ここから「うまい・やりたい・うれしい」だけを取り出すと、周りに一緒にいた人間が消えてしまって、自分だけの欲望の充足となってきます。同じように「気分がよくて何が悪い?」というのも、「気分がよくて何が悪いのよ」と言い合っているイメージで受け取らないと、ただたんに否定性に対抗するための欲望の肯定になってしまいます。

そして、ポスト・モダンの本質とはまさにこれだったのです。絶対的な価値はどこにもないといいながら、自分が後生大事に抱え持っていた価値だけは肯定する、肯定するのは、絶対的な価値を奉じてきた者たちは、必ずこれまでの価値観を否定することによって、そうしてきたからです。だから、ポスト・モダンのいう肯定というのは、否定性に対抗するための肯定にすぎないといえます。

「見えない力」が大きな威力をふるっている時代

もう一つ別の面からいうと、ポップな世界、ポスト・モダン、相対主義の世界とは何かというと、「見えない力」が大きな威力をふるっていることに無関心な世界ということができます。「うまい・やりたい・うれしい」「気分がよくて何が悪い?」「絶対的な価値はどこにもない」といいながら自分だけの欲望、自分だけの価値観に拘っている、その間に、価値のグローバル化がどんどん進み、世界は欲望のシステム化によって編成されていきます。

『世界の終りとハードボイルド・ワンダーランド』になぞらえていえば、巨大化した「組織（システム）」と「工場（ファクトリー）」の力によって「意識の核（コア）」に追い詰められていくときに現れる世界といえます。見えない威力によって私たちは内面に閉じ込められ、「世界の終り」の街のような一見満ち足りた静かな生活へと促されますが、それは、心を失くし、記憶を消されることによって、そうされるのでした。

ですから、もしそこで「うまい・やりたい・うれしい」「気分がよくて何が悪い?」「絶対的な価値はどこにもない」といった言葉が発せられることがあったとしたら、それらの言葉には、心や記憶や自我といったものの痕跡が消し去られているからなのです。

また、その街では、誰も傷つけ合わず奪い合うことも、争うこともない、他人をうらやむことも、嘆くことも、悩むこともないとされていましたが、たしかに、ポップな世界、ポスト・モダン、相対主義の世界でも、そういう雰囲気が好まれ、人は争いあうことや、他人をうらやむことをできるだけしないように一定の距離をとっています。そういう意味でいうと、「世界の終り」の街は、自分だけの欲望を充足させ、自分だけの価値観に耽って、お互いに関わりあわないように距離をとっている人々が集まっている街といえます。

「影」が、この街は間違っている、弱いものや不完全なものに何もかも押し付けて成り立っている、誰も傷つけ合わず奪い合うこともないのは、それらすべてを一角獣に背負わせているからだというのは、そういうことなのです。そして、「影」と一緒にこの街を脱出しようとしながら、最後の一歩でこちらに残ることを選択した「僕」が、自分には「責任」があると考えたのは、この街を成り立たせている見えない力がどのようなものなのかについて考える義務があると思ったからなのです。

村上春樹は、このようにポップな世界、ポスト・モダン、相対主義の世界を描きながら、一方で、この世界を成り立たせている威力のようなものを主人公に感じ取らせることを忘れていません。北村透谷でいえば、「内部生命」や「心宮内の秘宮」を問題としながら、『力（フォース）』としての自然」を問題とすることを怠っていないということなのです。

私は「『力（フォース）』としての自然」の威力を見ないで、ポップやポスト・モダンだけをいうのは一面的だと考えてきました。村上春樹は『世界の終りとハードボイルド・ワンダーランド』で、すでにそういう二面的な世界を描いてみせたのですが、『ノルウェイの森』もやはりそうです。

永沢さんとワタナベ君が、ガールハントをした女性を取り替えてセックスをするといったことが、

「うまい・やりたい・うれしい」といった欲望の肯定といった観点から描かれているということではまったくないのです。そこでハツミさんが傷ついたように、「うまい・やりたい・うれしい」には、必ず「『力（フォース）』としての自然」の威力がはたらいているのです。この力は、ハツミさんだけでなく、直子をどうしようもないところに追い込んでいきます。ハツミさんも最後は自殺します。そういう物語を村上春樹は作っているのです。

ポップな世界を描くのですが、そういう力によって悲劇に落ちていく存在がいる、そのことを村上春樹はあらわしているので、だから加藤さんのいうように、女性に飢えた主人公が、恋人はいるがセックスできない、よくないとは思うが、我慢できずに、ガールハントの誘いに応じ、セックスする、それを偽らずに告白する、その場面は白眉だ、とは私にはいえないのです。もし白眉だとすると、そういうみずからの欲望に忠実に生きたことが、誰かを恢復不可能な悲劇へと追いやっていくということがありうるというふうに、物語を展開していくその仕方が白眉といえます。

加藤さんはそのあと武者小路実篤の『お目出たき人』の冒頭の言葉、「自分は女に餓えている。／誠に自分は女に餓えている。残念ながら美しい女、若い女に餓えている」という言葉を引いて、否定性からの回生について述べるのですが、これは私からするとアイロニーとしか受け取れません。

武者小路自身が新しき村で、妻の不倫と別の女性との再婚という問題を通してエロス的関係の極北を経験したはずなのですが、そのことについてどう考えていったのか、いかなかったのかを論じないで、これだけをもってくるのは、批評家としてすこし困るのです。そういうこともあって、私は加藤さんの『ノルウェイの森』論は受け入れられないのです。

デタッチメントからコミットメントへ

二年くらい前に『ノルウェイの森』を読み返したとき、冒頭のシーンがとても印象的でした。ハンブルク空港に到着した飛行機から降りようとするときにビートルズの「ノルウェイの森」が聴こえてきます。誰でも知っているビートルズの有名な曲なのですが、その曲に誘われるようにして、直子と一緒にどこかの草原を歩いていた時のことを思い起こします。

あちらこちらに穴があいていて、廃墟のような洞窟がずっと続いている、そういう風景が回想シーンとして描かれます。すごくリアリティがあるのですが、内面の暗い部分が、廃墟の穴のような世界としてあらわれてきます。そこから物語がはじまっていくのです。

直子は京都の療養所に入り、ワタナベ君は最後まで直子にかかわろうとして療養所を訪ね、何度か一緒に寝たりするのですが、でもエクスタシーは得られません。結局、最後に直子は自死してしまいます。最後のシーンで、僕は直子の死を知らせに来た同室のレイコさんとも寝たりします。でも、それは、直子の死があまりにも受け容れがたいがゆえに、それをどうにかして受け容れようとする二人の思いの重なったところにあらわれた行為と考えることもできます。

それでもワタナベ君は、直子の死を受け容れることができず、自分の人生はもう救われないと考え、放浪の旅に出るのです。

吉本さんがよくいうのですが、世の中には理由のない死を、自分の運命のように持たされている人がいる。私もそう思うのです。何か知れない運命のようなもので死に引き寄せられていく、それがキズキであり、直子だったといえます。ワタナベ君はそれに感染してしまいます。ワタナベ君も、最後は放浪の旅に出かけ、死へと向かっていったのかもしれません。

ところが、旅の途中でふいに緑のことを思い起こし、彼女に電話をします。そして、緑の「あなた、いまどこにいるの？」という言葉で、こちら側に戻ってきます。

加藤さんは、そこを高く評価しています。私は、それは一つの経過で、そういうふうに経過するのだが、別の小説でワタナベ君に当たる人が、また放浪の旅に出かけて自分の死の運命をたどっていくのではないか、そういう小説を書くのではないかという感じを持っています。だから、緑の言葉によってこちら側に戻ったということは、一つの過程にすぎないというか、通過点であって、まだ先があるといえます。加藤さんには、村上春樹をポップな世界の確立者としてとらえたいという考えが根本のところにあります。加藤さんは、非常に優れた村上論を書いているのですが、私などは『海辺のカフカ』とか、『色彩を持たない多崎つくると、彼の巡礼の年』などは、あまり評価できません。でも、加藤さんは一定の評価をします。そこは、私としては同調できない、そういう感じをもってしまいます。

加藤さんの確かな功績は、村上春樹の初期の「中国行きのスロウ・ボート」「貧乏なおばさんの話」「ニューヨーク炭鉱の悲劇」「パン屋襲撃」といった短編が何なのか読み解いて見せたことです。これは全共闘体験です。「ニューヨーク炭鉱の悲劇」とか「パン屋襲撃」には、連続企業爆破事件の、あるいは内ゲバの影があるという指摘です。これは見事でした。

もう一つは、『1Q84』で天吾が父親を看取る場面です。インタビューでも村上春樹は答えているのですが、自分の父親は中国大陸での戦争に従軍し、中国の人々に対して大きな罪を犯してきた、それを父親はずっと後悔し、祈ってきた、その後ろ姿を見てきた自分の中にも罪責感のようなものがある、そういう彼の思いが「中国行きのスロウ・ボート」などの作品に出てきたという指摘、これはとてもいいです。

そこをもっと生かしてくれると、『世界の終りとハードボイルド・ワンダーランド』にしても『ノルウェイの森』にしても、違った読みが出てきたのではないかと思うのですが、なかなかそうはなっていないところがあります。

また、加藤さんは「『世界の終り』にて」では、村上春樹の小説の「困難」について率直に語っていますが、その後は、どちらかというと同伴者的なスタンスを取っていきました。その結果、どの小説に対しても、「『世界の終り』にて」の時のような物言いは禁句にしたようなところがあります。一度、村上春樹とともに歩くといったスタンスを自分なりにつくったので、簡単には「この小説は失敗作だ」と断定するわけにはいかなかったのでしょう。ですからできるだけ良い点を評価していく、そういう方向で読んでいく、それは私も認めるのです。

『海辺のカフカ』を私はあまり評価できないのですが、加藤さんは、あの作品は大きな傷を受けた少年がどうやって立ち直るか、そういうモティーフなのだというい方をしています。それはそれで、とらえ方が独特でいいのです。

実際に『村上春樹は、むずかしい』を読み返してみると、デタッチメントからコミットメントへという村上自身が持ち出したテーマに真剣に取り組んでいるところが全編を通してあらわれていて、こちらに重点を置いていくと加藤さんの真価が分かるように書かれています。

否定性から肯定性へとか内面から関係へといったテマティックな見方でとらえるよりも、デタッチメントからコミットメントへというテーマから、ほんとうに何かと関わるとはどういうことか、それができればおのずと肯定的なものを見出すことができ、欲望を自分のなかだけで充足させていくのではなく、自分にとってかけがえのない誰かとともに満たしていくことができるのではないか、そして、そういう欲望とは、誰かをかけがえのない存在とみなしていくことに通じていくのではないか、『村上春樹は、むずかしい』は、読んだ者にむしろこういう思いを抱かせます。

そう考えてみると、加藤典洋という人は、図式的なテーマをもってきながら、深いところへ読者を引き込んでいく批評家ということができます。

3　人間を損なう神話的暴力――『騎士団長殺し』について

「神話的暴力」と「生権力」

ここから村上春樹の一番新しい長編『騎士団長殺し』についてふれてみようと思います。ここに「再生へ　破綻と展開の予兆」と見出しが打たれた日経新聞の記事があります（二〇一七年三月一八日朝刊）。これは、本が出てすぐの頃の加藤さんの書評です。『騎士団長殺し』は好評で、いろいろな批評が出ましたが、本質は何かということをきちんと論じているのは、加藤さんのこの「再生へ破綻と展開の予兆」という文章が唯一ではないでしょうか。加藤さんが生きていれば、この書評だけではない『騎士団長殺し』論を展開したと思うのです。たぶん、そこでは最終的に私とも意見が一致したのではないか、そんなふうに思います。

私の『騎士団長殺し』についての考えは、「千里を飛ぶ魂の悲しみ――漱石と村上春樹」（『日本国憲法と本土決戦』所収）という短い文章で述べていますが、まさに「再生」がテーマなのです。何からの再生かというと、人間の内面やエロスにはたらく力、『世界の終りとハードボイルド・ワンダーランド』と『ノルウェイの森』で問題にした、『力（フォース）』としての自然」（透谷）とか「大きな自然」（漱石）といったものからの再生といえます。

それは、『国境の南、太陽の西』の島本さんという女性に、『ねじまき鳥クロニクル』の間宮中尉に、『1Q84』の冒頭の青豆の姿にも、かたちを変えて現れるのですが、『力（フォース）』としての自然」とか「大きな自然」をもう少し現代的に言い換えると、ベンヤミンのいう「神話的暴力」、フーコーのいう「生権力」となり、そこからの再生です。

ベンヤミンは、この「神話的暴力」を国家や法の根源にあるものと考えました。一方で文字通り「運命」ととらえ、しかもこの「運命」はギリシア悲劇のように特別な存在を襲うのではなく、普通の人間、普通に愛し合う男女をも席巻すると考えました。

具体的には、ゲーテの『親和力』の批評を通して「運命」や「神話的暴力」のおそろしさについて語ります。ゲーテに「根源現象が私たちの感覚に対して裸のままで出現すると、私たちは一種の怖れを感じ、不安にさえ襲われる」という言葉があるように、「運命」や「神話的暴力」というのは、登場人物を動かすだけでなく、それを読んでいる私たちにも不安や怖れを感じさせます。にもかかわらず、そこから再生しようとする物語を、漱石やゲーテといった人たちは書いたのです。

そう考えると、村上春樹の『騎士団長殺し』は、まさにそれだといっていいでしょう。

ベンヤミンとは少し異なりますが、フーコーは人間を波打ち際の砂のようにやがて消え去っていくものととらえ、それは、人間が見えない「構造（ストリュクチュール）」によって規定されているからだと考えました。その「構造（ストリュクチュール）」について、フーコーは、時代ごとのさまざまな文献にあたりながら明らかにしていったのですが、そういう「知の考古学（アルケオロジー）」的な方法はしだいに影を薄めていき、最終的には「生権力」や「生政治」ということを問題にしました。

それは、見えない力によって動かされている人間は、「死んでいるように生きさせられている」、「生きているように死なされている」といいます。このようないい方は、ポスト・モダン論者のいう、あなたたちは何かを信じてそれに向かって行動しているつもりなのかもしれないが、結局は見えないシステムに支配されているにすぎない、そのことに自覚的でなければならないといった論理に回収されかねないところがないとはかぎりません。

しかし、ポスト・モダン論者とフーコーでは、見えない力を感じ取る仕方がまったく違うのです。端的にいうと、フーコーの中にはこの「構造（ストリュクチュール）」や力にどうにかして風穴を開けたいという思いがあるのですが、ポスト・モダン論者の場合、自分の優位性を保つため、人間を超えたシステムとか力（フォース）というのをもってきてそれに乗っかっているにすぎないのです。

フーコーは晩年にいたって、現代人にとっての「生権力」とは何かと考えたとき、それをもっとも象徴するのはアウシュヴィッツだと考えました。強制収容所のなかで、ジョルジョ・アガンベンがいう回教徒(ムーゼルマン)と呼ばれた者たち、回教徒が礼拝するときにバタン、バタンと地に何度か手を伏せますが、もはや衰弱してそんなことを繰り返すことしかできなくなった者たち、彼らをつくりあげたのがアウシュヴィッツだと考えたのです。

回教徒(ムーゼルマン)というのはアガンベンのいい方ですが、フーコーは、死んだように生かされている存在、生きているように死なされている存在という言葉でいったわけです。それはヒトラーやナチスがつくったというよりも、見えない力が、ナチスやヒトラーに姿を変えてつくりだしたのだ、そういう意味では、人間の運命が人間自身をそういう事態に追い詰めていった、そういってもいいわけです。ベンヤミンが、国家や法は神話的暴力によってできているといっているのは、まさにこのことなのです。フーコーもこのことに気がついていました。

村上春樹も、無意識の中でそのことをずっと考えています。『世界の終りとハードボイルド・ワンダーランド』や『ノルウェイの森』がそうです。『1Q84』では「さきがけ」という組織を使ってそれをあらわそうとしているのですが、私はあれは失敗作だと思うのです。でも、いつでもモティーフにはそれがあります。

事実、『1Q84』の冒頭で、主人公の青豆が首都高のどこかの出口から異世界へと紛れ込んでいくときの描写など、凄いとしかいいようがありません。人間を超えた威力を感じ取っていなければできない描写なのです。日本の作家で、このような力と、それによる人間の運命と、人間の生き死について考えたのは透谷と二葉亭四迷、そして漱石です。漱石の『こころ』という小説では、

Kを裏切ったという罪責感に苦しめられ、先生は死を選んでいきます。しかし、実際にはKも先生も理由のない死に取りつかれていた、そういう人間だと考えると理解できるわけです。

村上春樹がキズキや直子をなぜ死なせるか、説明をしていないのと同じように、『こころ』の中でKも先生も死ぬほかにはないような、そういうものを抱えている人間として描かれています。先生の遺書を読んでいくと、私の中で苦しい戦争があったとか、牢獄の中に閉じ込められていたとか、そういうことが告白されています。それは神話的暴力の力だと考えると、分かるような気がするのです。

運命や宿命に促されて生きざるをえない人物

『騎士団長殺し』に話を戻しますと、主人公は肖像画家の「私」です。年齢は三六歳ということになっていますが、これは、『ノルウェイの森』の冒頭、ハンブルク空港に到着した飛行機のなかでビートルズの「ノルウェイの森」を聴き、いいがたい思いにとらえられたときの「僕」(ワタナベトオル)とだいたい同じ年齢です。

この「僕」は誰の生まれ変わりかと考えてみると『こころ』の先生を慕う「私」の生まれ変わりのように思えるのです。「私」は急行列車に乗り込んで先生の遺書を読んでいく。そして先生の死に出会うのですが、この後「私」がどういう人生を送ったかは書かれていません。たぶん、『ノルウェイの森』の「僕」のように、放浪の旅というか、どうしようもなくなって、自分自身をこの世界から消していくような旅に出たのではないかと思うのです。

しかし、『こころ』の「私」はこちら側の世界に戻ってきました。それは、先生の妻の「静」が「あなたいまどこにいるの」といった呼びかけをしたからかもしれません。そのあと、「私」は、もしかしたら「静」と一緒になったのかもしれない。実際そういう説をとなえている漱石研究者が何人もいます。

それは、そうかもしれないし、そうでないかもしれない。でも大事なことは、この「私」は、あれから一〇年あまりの歳月をついやしたとき、ふいに「先生」とのことを語りたくなった。それが『こころ』という小説になったということです。

すると、三七歳になった「僕」（ワタナベトオル）も、同じように一〇数年たって、飛行機が外国の空港に到着した時、BGMとして流れた「ノルウェイの森」を聴き、直子とのことについて語りたくなった。そうして、『ノルウェイの森』は始まるのですが、それでは、語っている「僕」は、いま何をしているのか、そう考えて見ると『騎士団長殺し』の「私」が浮かび上がってくるのです。

つまりこの「私」は、『ノルウェイの森』の「僕」の生まれ変わりなのです。

『騎士団長殺し』の「私」は、妻が理由もなく自分の前から消えていった、ということで放浪の旅に出かけます。それまでの『ねじ巻き鳥クロニクル』でも妻が消えていくという設定はあるのですが、『騎士団長殺し』の場合は違うのです。

妻は自分の愛する妹にそっくりなのです。そっくりな人を妻にした。妹は一二歳のときに難病で死んでいくのですが、「私」はその悲しみをずっと抱えています。直子の死を抱えている「僕」（ワタナベトオル）や、先生の死を抱えている「私」にシチュエーションがとてもよく似ています。キルケゴールは、反復ということをいったのですが、まさに、この「私」は反復ということを背負わされているのです。

宮沢賢治は妹の死を抱えて、北海道のオホーツクまで放浪の旅に行きます。「私」も同じように妻に去って行かれ、プジョーというクルマに乗って東北から北海道にあてのない旅に出かけます。描き方は漱石や賢治のように切羽詰まってはいないのですが、白いスバル・フォレスターの男が出てきたり、得体のしれない女が出てきたり、寒々しいというか、そういう人物が最初から出てくるのです。

村上春樹はここで運命や宿命に促されて生きざるをえないような人物を出してきた、という感じがすごくするのです。

「私」は、東北から北海道の果てまでおもむくことで、死の瀬戸際まで行ったのですが、戻ってきて、友人の父親のアトリエのある小田原の家を借り、生き直すことになります。そこで、友人の父親である雨田具彦という画家の「騎士団長殺し」という絵に出会い、激しく揺さぶられます。なぜ、その絵は「私」をそんなにもとりこにしたのでしょうか。

それは、人間を動かす神話的暴力が描かれているからなのです。「私」を北海道の果てまで駆り立てた力に、戻ってきて、再会するわけです。しかも、画家としての自分がこれから向かおうとする世界でです。

「私」はその絵がなぜ描かれたかについて、ずっと考えていくのですが、そのあいだ、夜中に聞こえてくる鈴の音のあとを追って、アトリエの裏の雑木林にある小さな祠と石積みの塚にたどりつき、地中から現れた石室のなかに鈴が納められていることに気がつきます。それをきっかけに、不思議な出来事へと巻き込まれてゆくのですが、それは、村上春樹のストーリーテラーとしての才能が発揮される場面といっていいでしょう。漱石でいえば、「夢十夜」とか『坑夫』の世界です。

しかし、本筋は、「騎士団長殺し」という絵がなぜ描かれたかというところにあります。しだいにわかってきたのは、これを描いた雨田具彦という画家は、若いときにオーストリアでナチス高官暗殺計画に加わり、一緒に活動していた恋人を殺されるという過去を背負っていたということです。その弟の雨田継彦は、ピアニストを目指していたところ、二〇歳の時に徴兵され、いわゆる「南京虐殺」に加担させられたことで復員後に自殺したということも添えられています。

これらは話を脚色して面白くするためにつくられたもののようにも見えるのですが、決してそうではありません。そういうエピソードが語られる傍らで、主人公の「私」や「私」と近づきになる免色という人物、彼が自分の娘かもしれないと考えて偏執的な情熱にとらわれていくまりえという少女などが、それぞれまったくそうとしか生きられないように生きているわけです。

そこには、『海辺のカフカ』に出てくる人物たちのわざとらしさがつゆほども感じられません。人間を駆り立てる運命、さらには暴力、さらには見えない力を登場人物も、作者もひしひしと感じ取っていることが読む者につたわってくるのです。

再生への予感

『女のいない男たち』に「独立器官」という短編があります。五二歳で独身の美容整形外科医が、一六歳下の夫と子供のいる女性に恋するあまり、鬱病になり、最後は食べ物が喉を通らなくなって餓死してしまうという話です。

一見暗い話に見えるのですが、その美容整形外科医は、村上作品によく登場する、都会的でスマートな、女性関係で憂き目にあうことなどない主人公の後身のようなところがあります。しかし、そういう主人公たちを描いてきた村上春樹が、同じように五二歳になった美容整形外科医の内面を描こうとして、以前にはないのめり込み方をします。

まず、夫も子供もいる女性とちょっとした浮気をする場面はいままでの小説でも何度か出てくるのですが、それは、本筋とは別のわき道のようなものでした。ところが、ここでは完全に本筋になっています。その上、この医師は、同じ時期に、アウシュヴィッツで生き残ったユダヤ人の医師の手記を読み、強くひきつけられます。

自分がそのユダヤ人の医師の立場におかれたら、虐殺されていく人々にどのように対することができるだろうか、それよりも、あの医師とはちがってまわりの者たちからリスペクトされることなどなく、ただ番号札をつけられ、最後はガス室に送り込まれたのではないかと考えはじめます。そうこうしているうちに、恋する女性にはかえりみられなくなり、食べ物が喉を通らなくなって餓死してしまいます。

読む人によっては、こういう話にアウシュヴィッツを持ち出すのは大げさだ、村上春樹もそういうことをやるようになったのかというかもしれません。そういう意見はいつもあるのですが、私はそうではないと思うのです。

フーコーが「知の考古学（アルケオロジー）」をやっていって気づいたことは、人間は何か見えない「構造（ストリュクチュール）」に動かされているということでした。それは、人間に「生命、労働、言語（ランガージュ）」という触知しがたい存在を重荷のように負わせ「人間の消滅」へと促していくものです。では、現代においてこの「構造（ストリュクチュール）」とは何かと問うていった末に、それはアウシュヴィッツだと考えたわけです。

ベンヤミン的にいえば国家や法にはたらく神話的暴力です。そういうものを考えていくと、アウシュヴィッツは一つの象徴だといえるのではないでしょうか。それを村上春樹は『騎士団長殺し』で実践して見せたのです。

雨田具彦の「騎士団長殺し」の絵は、すごくリアリティがあります。認知症にかかった雨田具彦を見舞いに行き、その場で自分は倒れ、「胎内めぐり」に入っていきます。まりえという一三歳の少女も穴に入って戻ってきます。その場面は、いままでの村上春樹の小説の小道具をそっくり使ってできているのですが、『騎士団長殺し』の場合には、神話的暴力が人間の運命にどうかかわってくるのか、そういうことを明らかにするために、それらの小道具は使われているのです。それが加藤さんのいう「再生への予感」ということだと思うのです。

加藤さんは『世界の終りとハードボイルド・ワンダーランド』についての評論の中で、責任を持つというのは違うのだ、もっと胸の空虚な窪みの中に瞬間冷凍した心を仕舞ってさらにその奥の凹型のようなところで解凍する「僕」の姿を描かないといけないといいました。それは、内面の内面にどこまでも降りていくということで、先が見えないような感じもするのです。

しかし、そういうことをあらわす表現には、そのことにかぎることのできないリアリティが感じられます。内面の内面について書いたのはたとえば透谷ですが、透谷が「心宮内の秘宮」について書くとき、その表現には何ともいえないリアリティがあるのです。透谷は、それは『力（フォース）』としての自然」を感じ取っているからだといいます。実際、内面の内面を如実に感じさせるような表現は、おのずからこの「『力（フォース）』としての自然」をも感じさせるのです。

先には、加藤さんの表現は、内面のリアリティを感じさせるが、『力（フォース）』としての自然」についての感触が少し薄いように思えるといいましたが、実は、そういう表現そのものがそれを感じさせるので、加藤さん自身、無意識のうちにもそれを感じ取っていたともとれるのです。

それと同じように、加藤さんは胸の窪みに空虚を収めていくというとき、自分では意識していなくとも神話的暴力とか運命といったものをそれとなく感じ取っていたといえます。「現代の眼」の「落下には際限がない。落下するものはその落下の瞬間から大地を失いはじめている」という表現がありました。あれがまさにそうなのです。あの表現には、彼の全共闘体験が影を落としているのではないかと思うのですが、私にとっても、全共闘体験というのは、神話的暴力とか運命の力といったものを肌で感じるような体験でした。

ですから、加藤さんは、内面から関係へとか、否定性から肯定性へといったテマティックなかたちで、批評を進めていったのですが、もともと考えていたのは、内面の奥の奥にどのようなかたちで運命的な力が影を落とすのかということではなかったかと思うのです。そう考えると、私とスタンスは違っていましたが、根本的には違わないところで考えていたのではないか、いまそんなふうに感じています。

遠い所から帰って来た人間

最後にもう一言。『騎士団長殺し』がこれまでの村上春樹の小説と違うのは、出て行った妻と最後によりを戻すことです。しかも、妻は別の男の子どもを宿しています。「私」は、その妻と一緒にもう一度生活をやり直すことを選び、子どもも自分の子どもとして引き受けます。そういう結末はこれまでなかったものです。これは素晴らしいことです。

たとえば、『こころ』の「私」が先生の後を追っていくわけですが、漱石の二〇歳くらいのときの漢詩に「魂飛千里墨江湄（魂は飛ぶ千里墨江）」という作品があります。私はこの漢詩に出会った時から、千里を飛ぶ魂とは何かということを考えてきました。もしかしたら『こころ』の「私」が自殺した先生の後を追うときには、千里を飛ぶ魂のようだったのではないか、そして、この「私」は『ノルウェイの森』の「僕」のように、放浪の旅というか、自分自身をこの世界から消していくような旅に出たのではないかと考えました。

『こころ』の「私」の反復としての『ノルウェイの森』の「僕」は、緑の「あなたいまどこにいるの」という言葉によってこちらに引き戻されます。しかし、それから二〇数年たって、この「僕」は、『騎士団長殺し』の肖像画家の「私」に代わっていきます。この「私」も千里を飛ぶ魂となって、三陸から東北、北海道まで行きます。そうして、千里を飛んだのですが、そこから帰還して、雨野具彦の「騎士団長殺し」という絵をめぐる不思議な出来事に巻き込まれ、最後には、もう一度別れた妻を迎えます。

漱石の『こころ』の次の作品は『道草』です。『道草』の冒頭は、「健三が遠い所から帰って来て駒込の奥に所帯を持ったのは東京を出てから何年目になるだろう」でした。これは昔から、漱石がロンドン留学から帰って来て所帯を持ったということを指している、健三は漱石自身をモデルにしているといわれてきました。

その通りなのです。書かれている内容は、自分の養い親が金を無心に来たり、奥さんとのいさかいが絶えなかったり、子どもの出産に出くわして狼狽したり、娘を亡くした兄がしだいに老いていったりといった人間の生と老いと死というテーマを描いているのです。

このことは村上春樹にもいえると思うのです。『騎士団長殺し』で、千里を飛ぶ魂のように当てもない旅をしたあと、不思議な事件に巻き込まれた「私」が、最後には、他の男の子どもを身ごもった妻を引き受けてゆきます。

なにも、漱石と同じになる必要はないのですが、でもやはり村上春樹もまた、遠い所から帰って来て、人間の老いとは何か、死とは何か、生まれるとは何か、そうしたテーマを掘り下げていくことによって、これからやってくる人たちの記憶に残るような作家となっていくのではないでしょうか。

「再生へ　破綻と展開の予兆」という『騎士団長殺し』の書評を書いた加藤さんもそのことを考えていたと思うのです。もっともっと長く生きてくれて、もっともっと書いてくれると、おたがいにインスパイアし合ったのではないか、いま、そういう感じがすごくしています。

村上春樹の物語の後に

「世界の終り」という物語

村上春樹の『世界の終りとハードボイルド・ワンダーランド』と安部公房の『方舟さくら丸』について書かれた加藤典洋のかなり長めの批評「『世界の終り』にて」（『君と世界の戦いでは、世界に支援せよ』所収）を読み、動かされました。そのことから書いてみようと思います。加藤さんの論脈は、かなり入り組んでいて、しかもその入り組みにはいわくいいがたい感受性の質が付随しているため、なかなか要約してつたえることができないのですが、とりあえず、次のような手順を踏んでみることにします。

まず、加藤さんは、村上春樹の作品をつくりあげている二つの物語「ハードボイルド・ワンダーランド」と「世界の終り」のうち、後者のほうに注意をひかれたとして、その理由を、次のように述べます。現在私たちが出会っている困難が「簡明に、しかも構造的にとらえられている」からである、と。その「世界の終り」という物語は、こんなふうなものです。

そこには、鳥たちだけが越えることのできる高い頑丈な煉瓦の壁によってとり囲まれた不思議な街が出てきます。人はこの街に入るためにはみずからの「影」を捨てなければなりません。この街は、自分の「影」から切り離され、やがて「心」を失くしてしまった人々の住む街だからです。「心」を失い、記憶を一切奪われた人々は、そこで安らぎにみちた生活を営んでいます。

物語の主人公である「僕」は、この街にやって来たとき、街の唯一の出入り口である西の門を守る門番に自分の「影」をあずけるようにもとめられます。街に住むだれでもがそうしてきたように、「僕」もまた体から「影」をひきはがされて、街へと入っていきます。やがて、「僕」はその街の人々と同じように、徐々に「心」を失くし、記憶を消去されていきます。一方、「僕」からひきはがされた「影」は、門番の監視のもとにゆっくりと体を弱らせ、死へと傾斜していきます。

ここに、「心」を失って生きる「生」のかたちと「生」から切り離されて衰えていく「心」のすがたが暗に示されていることは明らかです。加藤さんは、そこに私たちの生きる現実の困難が「輪郭線を浮かべている」といいます。そこで、加藤さんは次のように問いかけています。

なぜぼく達はいまぼく達の生きる現代日本の生の環境を、何か、この長い壁に囲まれた街のように閉ざされた世界、しかも、そこでぼく達は「内面」をここでの「僕」のようにどのような理由からか、切り離されてしか「生き」ることはできず、一方、この客体化されたぼく達の「内面」は、ぼく達の日々の生の手触りから隔てられなければ、また隔てられてあることを自分に繰りこまなければ、「内面」としてさえ存在することはあたわない、そんな構

造をもつ世界であるかに感じるのだろうか。──

もちろん、こういう問いに答えがあるはずもないのです。ただ、村上春樹の小説は、私たちの心の奥にこういう問いを発酵させずにはいないという点でも、あるのっぴきならない困難に触れているといえるのではないか、というのが加藤さんのいわんとするところなのです。加藤さんは、ここで、村上春樹の小説から「心」を失って生きる「生」と「生」からひきはがされて衰えていく「心」との奇妙なかかわりに注意をひかれていくのですが、そこに目を向ければ向けるほど、村上春樹の、もう一つの書かれなかった物語、書かれなかった結末というものについて考えをめぐらさずにいられないと論脈がすすめられます。

では、加藤さんのいう村上春樹のもう一つの書かれなかった物語、書かれなかった結末とはどういうものでしょうか。それについて考える前に、とりあえずいまある村上春樹の物語の大筋をとらえておくことにしましょう。

街の完全さと弱い無力なもの

「世界の終り」の物語は、「影」からひきはがされた「僕」が、徐々に「心」を失い、記憶を消されていくとともに、「僕」から切り離された「影」が門番の監視のもとでしだいに体を衰弱させていくというぐあいにすすんでいきます。そのあいだに、「影」はこの街はどこか不自然なものをかくしていると思えてならず、いつか「僕」とともに、街を脱出し、もとの世界に戻ることを真剣に考えはじめます。一方、「僕」はといえば、門番にいわれるままに街の図書館で、一角獣の頭骨にこめられている「古い夢」を読む「夢読み」という仕事をあたえられ、この街の静かな満ち足りた生活に少しずつなじみはじめます。

そんなある日、久しぶりに「影」に会いにやって来た「僕」が「影」から街の地図をつくることを頼まれます。そのために街のあちこちを歩いているうちに、その不自然さを少しずつ感じはじめます。街を囲む高く長い壁に沿って、「心」を捨てきれなかった人々が住む森があることに気づきます。「僕」は、この街の静かな安らぎと森のどこか不吉なおもむきとの落差に心をくだくようになっていきます。

こうして秋も深まり、寒い冬がやってくる頃、「僕」は寒さのためにすっかり体を弱らせた「影」と二度目の会見を果たすことになります。その時「影」から、脱出の具体的な計画が練りあがったことをつたえられます。だが、実際にこの街のなりたちと誰も越えられない壁の威力とを知っている「僕」は、脱出の不可能であることを「影」に知らせます。それは「世界の終り」なのだからと「僕」はいいます。これに対して、「影」は次のように答えます。

「世界の終りかもしれないが、ここには必ず出口がある。それは俺にははっきりとわかるんだよ。空にそう書いてある、出口があるってね。鳥は壁を超えるよな？　壁を越えた鳥はどこへ行くんだ？　外の世界だ。この壁の外にはたしかに別の世界があるし、だからこそ壁は街を囲んで人々を外に出さないようにしているんだ。外に何もなきゃわざわざ壁で囲む必要なんてない。そして必ずどこかに出口はあるんだ。」——

「影」のこのような考えは、この街は不自然で間違っているという信念からやってくるものです。「影」はいいます。この街は「不自然だし、間違っている。しかし問題は不自然で間違っているなりにこの街が完成されているっていうことなんだ。何もかもが不自然で歪んでいるから、結果的にはすべてがぴたりとひとつにまとまってしまうんだよ。」「輪が収束しているんだ。だから長くここにいて、いろいろなことを考えていると、だんだん彼らの方が正しくて自分が間違っているんじゃないかって気になってくるんだ。彼らがあまりにもぴしりと完結しているみたいに見えるからね。」「でもそれは間違っているんだ。正しいのは俺たちで、間違っているのは彼らなんだ。俺たちが自然で、奴らが不自然なんだ。そう信じるんだね。あらん限りの力で信じるんだ。そうしないと君は自分でも気がつかないうちにこの街に呑みこまれてしまうし、呑みこまれてからじゃもう手遅れってことになる。」

「影」のこの信念の是非を実のところ「僕」は判断することができません。「僕」はもう記憶というものをすっかり消され、「心」を失いかけているからです。だが、この街は不自然だという「影」の言葉に響き合うものがないわけではありません。「僕」の脳裏には、街の向こうに広がる不吉な森と、そこに追放されているらしい人々のことが思い浮かびます。

「僕」のこの街に残る理由

やがて冬の寒さも一段と厳しさを増す頃、「影」がすっかり衰弱して、死にかけているといううわさを耳にします。「僕」はとるものもとりあえず、門番小屋に会いに出かけます。そこで「影」は「僕」に脱出することを打ち明けるのですが、「僕」にはこの街の満ち足りた静かな生活に後ろ髪を引かれる思いがあります。誰も傷つけあわず、奪い合うことも争うこともない質素だが平等な生活、他人をうらやむこともなく、嘆く者も、悩む者もいない、そして老いることも、死の怖れを感じることもない生、誰にも強制されず、ただ働くためだけに働く毎日、そのような街を後にする理由を「僕」は見つけ出すことができません。

だが、「影」にとってみれば、そのような充足、完全さというものが疑わしいのです。「完全さというのはこの世には存在しない。」「エントロピーは常に増大する。この街はそれをいったいどこに排出しているんだろう?」「たしかにここの人々は誰も傷つけあわないし、誰も憎みあわないし、欲望も持たない。みんな充ち足りて、平和に暮らしている。何故だと思う? それは心というものを持たないからだよ。」「この街の完全さは心を失くすことで成立しているんだ。心を失くすことで、それぞれの存在を永遠にひきのばされた時間のなかにはめこんでいるんだ。」

それなら「人々の心はどこに行くんだい?」という「僕」の問いに対しても、「影」には考えぬかれた答えが用意されています。「心は獣によって壁の外に運び出されるんだ。それがかいだすということばの意味さ。獣は人々の心を吸収し、回収し、それを外の世界に持っていってしまう。そして冬が来るとそんな自我を体の中に貯めこんだまま死んでいくんだ。」「それが完全さの代償なんだ。そんな完全さにいったいどんな意味がある？　弱い無力なものに何もかもを押しつけて保たれるような完全さにさ？」そして、「影」の言葉は、さらに説得力を持って「僕」に迫ってきます。

「影が死ねば夢読みは夢読みであることをやめて、街に同化する。街はそんな風にして完全性の環の中を永久にまわりつづけているんだ。それが正しいことだと君は思うのかい？　それが本当の世界か？　それがものごとのあるべき姿なのかい？　いいかい、弱い不完全な方の立場からものを見るんだ。獣や影や森の人々の立場からね。」

「僕」はこの「影」の言葉に同意せざるをえません。かすかににじんだ涙を手の甲で拭きながら、「君の言うとおりだ。ここは僕のいるべき場所じゃない」と答え、脱出行を約束するのです。こうして、数日後「僕」と「影」は、この街の唯一の脱出口と考えられる「南のたまり」へとたどり着きます。だが、ともにこのたまりに飛び込んで脱出へと向かおうとするその瞬間、不意に「僕」はこの街に残ろうと思うと告げます。突然のことに茫然としている「影」に向かって、「僕」はこの街に残る理由を次のように話すのです。

「僕はこの街を作りだしたのがいったい何ものかということを発見したんだ。だから僕はここに残る義務があり、責任があるんだ。（略）僕は自分勝手に作りだした人々や世界をあとに放るのはつらい。でも僕は自分がやったことの責任を果たさなくちゃならないんだ。ここは僕自身の世界なんだ。壁は僕自身を囲む壁で、川は僕自身の中を流れる川で、煙は僕自身を焼く煙なんだ。」

「僕」の意志の固いことを知った「影」は、「僕」がもはや図書館で「夢読み」の仕事をつづけることはできず、「心」を殺しきれなかった人間として、森の中で生きのびねばならないだろうことを告げ、静かに一人去っていきます。「僕」は「僕」で、「影」を呑みこんだたまりを背に、雪の中をひき返すのです。

「心」のない場所に「心」のないままとどまる

このような村上春樹の物語にたいして、加藤さんは次のように反問します。

村上春樹は、こうして街を出ていく「影」と街に残る「僕」とのゆきちがいを明らかにして物語を終えるのだが、この結末は、「影」と「僕」の対位をよく生かしきったものとは思えない。というのも、加藤さんからすれば、「影」のすがたには、もはやいかなる根拠も失って、ある客体化、吉本隆明の言葉でいえば「SFアニメ的に客体化」することによってしか保持されえなくなった私たちの「内面」がかたどられているからです。それに対して、「僕」によって生きられているのは、一度抜き取られ瞬間冷凍した「心臓」をもう一度胸の空虚におさめて何気なく生きている私たちの生ともいうべきものだからです。

そして、この客体化された内面と内面を失った空虚とをかかえて生きる生という主題こそ、私たちの現在における困難を浮かび上がらせるものなのだといいます。村上春樹は、頭のどこかでこのような主題を物語の最後まで保ち続けることを考えていたのではないか、だが、村上春樹はこの目論見を最後に放棄し、「僕」が「心」のない世界に「心」を捨てきれなかった不完全な人間としてとどまるという物語へと変更していった。ここには、小説の最終局面で村上春樹がぶつかったある困難が示されているのではないか、というのが加藤さんの見方です。

加藤さんがそのように考える根拠は、この「世界の終り」という街に追放者として残るという「僕」の選択、さらには、この街を作りだしたのは実は自分だということに気づいた以上、自分のしたことの責任を果たさなければならないという「僕」の意志表示が、この街は不自然で間違っている、この街の完全さは弱い無力なものに何もかもを押しつけて保たれているものにすぎないという「影」の論理に対抗できるものとはどうしても思われないということです。

村上春樹には、自分の作りだした世界への責任というモティーフ以上に、この「影」の論理に対抗できる論点を「僕」に見つけてやるというモティーフがあった、それをたどっていくならば、弱い不完全なものの立場からものを見ている自分の方が正しいという「影」の論理にはっきりと違和を表明させ、「影」のいうことは間違っていない、だからこそ自分はこの街にとどまるのだと「僕」にいわせることができたのではないか、というのです。

ここで加藤さんは、とても大事なことを述べています。「弱い不完全な方の立場」に立てという「影」の主張は、それ自体弱く、不完全なものではない、むしろ、強く、正しく、一点非の打ちどころのないものといっていい、もしそれが主体化されるならば、自分の「良心」と「人間性」を信じて疑わない、鉄の意志をもった「革命家」の主張に通じていくほかはない、そして、もしこのような「影」の主張に抗する場所があるとするならば、「弱い矛盾した微小な存在」にとどまるということであり、「心を失くした街の住人」からも、「獣や影や森の人々」からも排除された「どこにもない場所」を自分の居場所とするということである、そこで人は、「心」をもたず、わずかに何らかの形で「心」の空虚の凹型だけをかかえて生きていくのだ。

ここに加藤さんは、物語のありえたかもしれない結末を見ているのですが、それは彼の言葉でさらに、次のように描かれるのです。

「心」のない場所に「心」のないままにとどまる選択。この選択が現実的に意味しているのは、さしあたり、「世界の終り」の「影」の選択にも、「僕」の選択にも与せず、その一歩手前にとどまるということである。それは別にいえば自分の「心」を抜きとり、あるいは石のように無何有郷の彼方に沈め、あるいは瞬間冷凍の後、再びその凍結された内面を胸の空虚に仕舞って、生きていく、ということであり、それを「世界の終り」に引き寄せていえば、「人間性」をむしろ彼岸に送り届けて、自分は「弱い矛盾した微小な存在」として生のいとなまれる場所にとどまる、ということである。

もちろん、加藤さんはこれがそのまま物語の結末として相応のフィクショナルな構成を得るとは考えていません。そこには、村上もまた突き当たったにちがいない小説構成上の困難が控えているので、それはまた、私たちにとっての一つの思想的な課題でもあると断っています。にもかかわらず、これをあえて小説として構想するとするならば、この「僕」の選択はどのようなリアリティをもちうるかと問いかけて、次のように答えます。

ここにはある深刻な字義矛盾がある。「心」のない場所に「心」のないままとどまる選択、それは、本来、選択という「心」の行為によることのない、何ものかに強いられた人の受け入れるあり方、だろうからである。（略）

たとえば、カフカの「城」で主人公のヨーゼフ・Kは「城」に辿り着こうとさまざまな試みを続けたあげく、ついには病を得て死の床につく。未完のこの小説の結末を、カフカはたしか、その死の床に、「城」からの居住許可が届けられる、というかたちで語っていたと記憶する。

一方、その「審判」でKは、知らないうちにある訴訟にまきこまれ、最後にふいに「犬のように」殺される。

「弱い矛盾した微小な存在」は、「正しいこと」にも「本当の世界」にも「ものごとのあるべき姿」にも辿り着かず、ただ、無意味に、何か見知らないものにふいになぎたおされて死んでいくのである。

こうして加藤さんは、村上春樹の物語が示すフィクションの困難という課題を、私たちの現在の思想的課題に重ね合わせ、さらにその先に、この課題を「引きとっていると見える」安部公房の『方舟さくら丸』への言及へと移っていきます。これで加藤さんの論理の骨組については素描しえたと思えるので、これ以上の追跡はさし止めようと思います。問題は、ここで加藤さんによって提出された困難をどう受けとめ、どう解するかというところにあるからです。

「ハードボイルド・ワンダーランド」の世界

加藤さんの「なぜ」という問いは、その問いの深みから滲み出すものによって私たちの微妙な「生」のかたちを描き出すというように問われていました。だが私たちはこの「なぜ」という問いを、問いそのものの深みに降りていくだけでなく、そこからもう一度引き返して、いま生きている世界のなりたちに向けて発するということもできるのではないでしょうか。

それを村上春樹の物語に即していえば、なぜ「僕」は、あの誰も越えることのできない高い壁に囲まれた街にやってきたのか、そして、その街が実は「僕」の作り出した世界であり、壁は「僕」自身を囲む壁で、川は「僕」自身の中を流れる川で、煙は「僕」自身を焼く煙であるというのは、どういうことなのだろうかと問うてみることなのです。

しかも、この問いの向こうには「僕」が「影」と別れてこの街に残るのは、自分がどのようにしてこの街を作り出したのかをたずねるためであり、そこに「責任」という文字を刻みつけるためであるという「僕」の決意が示されています。いったい、このような「僕」の意志はどこからやってくるのでしょうか。それは、加藤さんが考察の外に置いた村上のもう一つの物語、「ハードボイルド・ワンダーランド」と「世界の終り」とのあいだから生まれてきたものといえます。そこで、私たちはこのことを念頭に、「ハードボイルド・ワンダーランド」をめぐってみることにしましょう。「世界の終り」が中世的な架空の街の物語であったのにくらべて、「ハードボイルド・ワンダーランド」には地下鉄も走っていれば、終夜営業のコンビニエンス・ストアーもある現在の東京と思わしい大都会が出てきます。主人公の「私」はそこで、膨大な量の情報を管理、保存する「組織（システム）」の末端の一「計算士」として、情報処理の仕事を請け負っています。この巨大な「組織（システム）」の管理、保存する情報を盗み出そうとする「工場（ファクトリー）」の「記号士」たちに情報を解読されないように、素早くかつ手際よく仕事を進めなければなりません。この世界のあらゆる情報は、国家と結託した半官半民の企業である「組織（システム）」の管理と、それを破って次々に情報を闇のルートに流す地下組織「工場（ファクトリー）」との拮抗のうちに維持されています。

　そういう「私」があるとき、「組織（システム）」から情報処理という名目で、奇妙な老科学者から仕事を依頼されます。老科学者は、その仕事をたんなる情報計算だけではなく、「私」に賦与された特別な処理能力である「シャフリング・システム」にかけることを依頼します。「私」は、この能力を「組織（システム）」の許可なしに使用してよいものかどうか迷いますが、ともかく、老科学者の言葉を信用して、引き受けることにします。その情報は、よほど重大な情報に関するものだったらしく、「私」はやがて、それをめぐって「組織（システム）」と「工場（ファクトリー）」の両方から狙われることになります。「私」はいくつかの危機に瀕していくうちに、狙われているのが「私」の処理した情報ではなく、「私」のもつ「シャフリング」という特別な能力であることに気がついていきます。それに、どのような秘密が隠されているのか見当がつかず、結局、その鍵を握っていると思わしい老科学者に会って問いただすほかはないと考えます。「私」だけではなく、老科学者もまた「シャフリング・システム」の鍵を握る人物として「組織（システム）」と「工場（ファクトリー）」から狙われることになります。ことの重大さを認識した老科学者は、「私」を地下の秘密の研究室に招き寄せ、すべての事情を「私」の前に明らかにします。

彼の語るところによれば、老科学者はかつて「組織（システム）」と「工場（ファクトリー）」との情報解読競争から一歩先んずるため、絶対に解読不可能な情報システムを開発すべく「組織（システム）」が招き寄せた人物でした。老科学者は、そこで彼の誇る大脳生理学に関する研究を応用するため、一つの人体実験を行いました。それは、「組織（システム）」に属する計算士のなかから何人かを抽出し、彼らの脳に、自分さえ理解することのできない情報解読のスクランブル・システムを植え込むということでした。

植え込まれたシステムは、瞬間冷凍されたブラック・ボックスのように彼の意識の深層に固定され、必要なときにのみそのままの形で、呼び出されるのでした。このブラック・ボックスは、植え込む側から恣意的に設定されるのではなく、植え込まれる人間がそれぞれ自分の意識の深層に、自分でも意識できずに持っている「意識の核（コア）」をシミュレートして設定されます。

これが、「シャフリング・システム」の原理なのです。

自分でも意識せずに持っている「意識の核（コア）」

ところで、ここまで「組織（システム）」の依頼してきたプロジェクトを完成させた老科学者は、これをさらに高度化することを考え、「意識の核（コア）」をみずからの手で編集し直し、映像化したものを、別の特殊な回路を通して植え込むことに成功するのです。だが、老科学者の人体実験が成功したのは「私」の場合だけで、他の計算士はすべて「シャフリング」の機能を果たさないまま死にいたります。そのため、「私」は「シャフリング・システム」の機能を保有する唯一の人間として、「組織（システム）」からも「工場（ファクトリー）」からも狙われることになります。

老科学者は、それを察知して、前もって「私」の大脳に設定しておいた「意識の核（コア）」の映像を「シャフリング」するべく、「私」にデータ処理を依頼したのでした。だが、「私」の「意識の核（コア）」は一度開かれた回路を通って、機能しはじめたため、そのままにしておけば、「私」はその世界に恒久的に閉じ込められかねないということが明らかになります。

老科学者はそれを防ごうと回路の誤差エネルギーを計測することを企てます。しかし、記号士たちが研究室を襲撃し、必要な資料を持ち去ってしまいます。老科学者の企ては、不可能になり、「私」はあと数時間でみずからの「意識の核（コア）」へと閉じ込められることが決定的になります。

だが、その世界は老科学者によって、編集され、映像化されているとはいえ、もともと「私」が何らかの理由から意識の奥深くに完璧なかたちで保持していた世界でした。そのかぎりで、それは「私」が自分の与り知らぬところで、しかも、自分自身の手で作りあげた世界であったということができます。その映像には「世界の終り」というタイトルが付けられていました。老科学者は、その映像について次のように話します。

「あんたの意識の中では世界は終っておる。逆に言えばあんたの意識は世界の終りの中に生きておるのです。その世界には今のこの世界に存在しておるはずのものがあらかた欠落しております。そこには時間もなければ空間の広がりもなく、生も死もなく、正確な意味での価値観や自我もありません。そこでは獣たちが人々の自我をコントロールするのです。」

それを聞いてすぐには理解することができなかった「私」にも、やがて時間とともにその世界が見えはじめます。それを「私」はこんなふうに語りかけます。

「意識の底の方には本人に感知できない核のようなものがある。僕の場合のそれはひとつの街なんだ。街には川が一本流れていて、まわりは高い煉瓦の壁に囲まれている。街の住人はその外に出ることはできない。出ることができるのは、一角獣だけなんだ。一角獣は住民たちの自我やエゴを吸いとり、紙みたいに吸いとって街の外にはこびだしちゃうんだ。だから街には自我もなくエゴもない。僕はそんな街に住んでいる。」

こう語りかけたあと、「私」は深い眠りに身をまかせるとともに、この街へとやってくるのです。

巨大なシステムに閉じ込められた生のありよう

こうしてみれば、「世界の終り」の物語は、「ハードボイルド・ワンダーランド」の「私」が、自分でも意識できない深層に秘めていた「意識の核（コア）」を老科学者の手で再編集されたために現れたということがわかります。「世界の終り」の「僕」がこの「街」にやって来たのは、「私」の大脳内部に設定された「シャフリング・システム」の回路を後戻りのできない形で開かれてしまったためといえます。その結果、この「世界」に恒久的に閉じ込められてしまったのです。

だが、それは直接の理由づけにすぎません。老科学者が「私」に「シャフリング」を依頼することがなければ、「私」はたとえ脳髄にそのような回路を埋め込まれていたとしても、それを開くことは永久になかったからです。いや、老科学者が「シャフリング」を依頼したのは、彼の立てた仮説を最終的に確かめ、「私」にもまたそのことを知ってもらうためであって「私」を「意識の核（コア）」に閉じ込めようという意図ではありませんでした。

それならば、そもそもの発端は老科学者ではなく、「シャフリング・システム」という解読不能の情報処理回路を開発させた「組織（システム）」に問題があるといえるのではないでしょうか。自分の「意識の核（コア）」に追放される「私」は、情報処理の手段を次々に高度化していく「組織（システム）」と「工場（ファクトリー）」の情報戦争の犠牲者ともいっていいでしょう。

ただ、この場合「犠牲者」という言葉は、いかにもそぐいません。なぜなら、「私」はすでに「組織（システム）」の一員として、過酷な情報処理を進める「計算士」の仕事を請け負っていたからです。「組織（システム）」がどのような手段を「計算士」に負わせようと、断る理由はありません。とするならば、「意識の核（コア）」への追放は、情報処理の高度化が不可避的にもたらしたものであり、それを「私」はなにものかに強いられるように受け容れていたといえるのではないでしょうか。

村上春樹は、この「私」を「組織（システム）」と「工場（ファクトリー）」の高度な情報戦争の一翼をになう人物として設定することによって、そこに私たちの現在の生のすがたを重ね合わせていたのです。高度化する巨大なシステムの一項目として布置され、みずからの意志をどのようにはたらかせようと、このシステムの交換可能性へと拉致されるほかはないという生のすがたにです。もちろん、私たちの日々生きる生の実感は、「ハードボイルド・ワンダーランド」の「私」にくらべて具体性に富んでいるということもできます。にもかかわらず、意識の奥でなにものかに強いられ、操作されているという感触を拭うことができません。

そうであるならば、やはり、この「私」のように、抽象的で過酷な生を生きているといわざるをえません。たとえ、いかなる強制もおぼえることがないとしても、意識の深層に巨大なシステムの変転とその見えない操作が映し出されているとするならば、「私」の抽象的な生のかたちは、私たちを打つことをやめないのです。ですから、「私」の「意識の核（コア）」に埋め込まれた「シャフリング・システム」とは、この巨大なシステムに取り込まれ、絶えざる操作可能性を付与された私たちの生の、自分でも意識することのできない深層の機能を形象化するものといえます。

世界の不毛化した記憶が凝結するガラスの棺

それは、たとえばボードリヤールが、システム化された世界における極限の生として思い描いた次のようなイメージを想起させます。

われわれの本当の大墓地はもう墓地、病院、戦争、大量虐殺といったものではないし、死はもうまったく人が思いつくようなところにはない。それはもう生物学的、心理学的、形而上学的ではなく、殺人的なものですらない。その大墓地はコンピューターの穴であり、人間的雑音をまったく放逐した空虚な時間、世界の不毛化した記憶が凝結するガラスの柩である。死者だけがすべてを覚えている。知の直接的永遠性とか、人が今日マクロフィルムとかアルシーヴの形で埋蔵しようと夢想する世界の精髄のようなもの、未来の文明によって見出してもらえるように世界全体を収蔵すること、復活を目指して知のすべてを低温処理すること、価値／記号としての不死性へと知のすべてを移行させること。すべてを失い、すべてを忘れるというわれわれの夢想に反して、われわれは関係・連関・情報から成る反対の城壁や濃密で錯綜した記憶をつくりあげて、いつかは再発見されるという時代おくれのはかない希望をもって生きながらに自分を壁の内へと埋めこんでしまう。

（『象徴交換と死』今村仁司・塚原史訳）

「ハードボイルド・ワンダーランド」の「シャフリング・システム」は、ここでいわれる「人間的雑音をまったく放逐した空虚な時間、世界の不毛化した記憶が凝結するガラスの柩」に似ています。そして、「私」がこのシステムを過酷に消費し、ついには、そこに閉じ込められていくとき、この「ガラスの柩」に「知のすべてを低温処理」して「生きながらに自分を壁の内へと埋め込んでしまう」のです。もっとも、「私」はボードリヤールの死者のように「知の直接的永遠性」とか「世界

全体を収蔵すること」を望みません。わずかにそこに、これまで失ってきたもののすべてを見い出すにすぎません。見い出したというそのことに、どのような感動も喜びも伴わずにです。

とするならば、その無感動は「知の直接的永遠性」や「世界全体を収蔵する」というシステムの強迫的な要請をあまりに受け容れすぎた意識のシグナルということはできないでしょうか。つまり、時間もなく、空間の広がりももたず、いかなる価値観や自我ももたない「意識の核（コア）」の世界とは、錯綜した記憶と重層的な関係・連関・情報を絶えず消費することによって、ふいに引き返す道を失念してしまった意識の向こうに映し出された世界ではないでしょうか。

「私」は、そのようにして「世界の終り」の街へとやって来たのです。正確にいえば、過剰なシステムの情報連関を消費しつくした末に、ふいに帰り道を失ってたどり着いたのがこの不思議な街だったのです。

そこで人は「影」から引き離され、いっさいの記憶を奪われた後、徐々に「心」を失くしていきます。それは、加藤さんの言葉を借りれば、自分の「心」を抜きとり、瞬間冷凍した後に、その凍結した「内面」を胸の空虚に仕舞って生きていくということであるかもしれません。そういう奇妙な「生」のかたちだけが、そこでゆるされたものであるとするならば、この閉ざされた街は、何とボードリヤールが描き出したコンピューターの墓場、あの「人間的雑音をまったく放逐した空虚な時間、世界の不毛化した記憶が凝結するガラスの柩」に似ているではありませんか。

いや、似ているのではなく、この街は高度情報化社会のシステムが産出する空虚な「ガラスの柩」の影なのではないでしょうか。そこで、人はシステムを消費しつくした後に、「生きながらに自分を壁の内へと埋めこ」むようにして、この「心」を引きはがされ、いっさいの記憶を消し去られて生きる街へとふいにたどり着くのです。

疎外の構造の上に成り立つ「街」の純潔さ

それならば、この「影」を捨てた人々の住む街が、人々に静かな安らぎと満ち足りた生活を約束するのは、なぜなのでしょう。過酷なシステムの消費から解除されるということは、人をかつてない安らぎと安堵へと導くということなのでしょうか。だが、システムからの解除は、システムの外へと放り出されるということではなく、システムの最も高度な機能の内部へと、後戻りのきかないかたちで閉じ込められるということでした。

もはやシステムを消費するということがないとしても、そこが、システムの影のような場所であることだけは確かなのです。だから、静かな安らぎと、満ち足りた生活を享受している人々の背後で、巨大なシステムが超高速の変転をすすめているということは、考えられないことではないのです。とするならば、「影」を捨て、「心」を失くすということは、そのことによって、システムの恒久的な変転をなすがままにさせることであるといえます。そのことを代償に、静かな満ち足りた生活を約束されているのではないでしょうか。

ここにはある取引、自分でさえも意識しないで行われる取引のかたちがみとめられます。みずからはいかなるシステムも消費しない代わり、自分の生そのものをシステムの変転にとっての糧としてあたえるという取り引きです。誰も傷つけ合わず、奪い合うことも、争うこともない、質素だが平等な生活、他人をうらやむこともなく、嘆くことも、悩むこともない、そして老いることも、死の予感におびえることもない生とは、みずからの最も大切な何かをシステムの恒久的な機能に分け与えることによって保証された生というべきではないでしょうか。

それは、あたかも巨大なシステムの均質化された網の目に組み込まれ、なすがままにされながら、自分ではそのかつてない均質な空間のなかで、安らぎと安堵に満ちた生活を享受していると思い込んでいる私たちの生であるかのようです。

私たちもまた、見えない巨大なシステムをみずからの手で消費することをあきらめ、なすがままにその機能の内部に取りこまれていくとき、ふいに他人をうらやむこともなく、嘆くことも、悩むこともない、そして、老いることも死の不安におびえることもない生を錯覚します。そのとき、私たちのなかで、心という心が急速に冷え込んでいることだけは確かなのです。

この街は不自然で、間違っているという「影」の主張は、この点を衝いているのです。「影」によれば、この街の完全さは、「影や獣や森の人々」をかい出すことによって保たれるものにすぎません。彼らのような弱い無力なものに、何もかも押しつけることによって、作られた完全さといえます。人々の「心」を吸いとった獣は、体のなかに彼らの自我をいっぱいにためこんだまま、冬が来ると死んでいくのでした。「心」を捨てきれない人々は、暗い森のなかに追放され、さまよい歩かなければならないのでした。それが、この街の完全さの代償であるとするならば、そんな完全さにいったいどんな意味があるのかと「影」は問うたのです。

この「影」の論理は、この世界のなりたちの見えない真実を衝いています。なぜなら、私たちの生が、平穏で何一つかげりのない満ち足りたものにみえるとするならば、世界は一瞬たりとも均質化されたシステムの網の目を張りめぐらすことをやめないからなのです。そこに私たちの生がすっぽりと包みこまれ、さらには、その網の目の一項目として絶えずシステムの存続に寄与しているからといえます。

それだけではありません。私たちの生を組みこんだシステムの網の目は、均質ならざるもの、異なった徴を刻印されたものを次々にそこから排除することによって、その均質性を維持していこうとします。弱い無力なもの、永遠にさまようものをこちら側に引き入れ、そこに大いなる明るみに満ちた空間を作りだすのではなく、彼らを外へと次々にかき出し、そうすることによって内部の純潔を保っているにすぎないからです。

献身と慈しみを享受し、それを分け与えて暮らす人々は、意識の奥深くで、いつ自分がこの慈愛と相互理解からなる純潔な世界からかき出されるか知れないという不安を拭うことができません。そんな不安はどこにもないかのように見えたとしても、この世界の純潔さが、それからわずかでも外れたもの、いや、たとえ外れていないとしても、そうみなされたものをかき出すことによって保たれていることは、否定できないからです。そして、その世界を支配しているのは、誰もがかき出される側に回りうるという交換可能性にほかなりません。今度は、誰がかき出される側に回るのだろうかという不安を、人々は、消し去ることができないのです。

この街は不自然で間違っているという「影」の論理

物語では、人々の「心」を吸い取った一角獣が、体のなかにそれを一杯にため込んだまま、冬が来ると次々に死んで「街」の外へ投げ出されるのでした。そして、「心」を捨てきれない人々は、暗い森をいつまでもさまようことを定められていました。それが、何を寓意しているにせよ、そこには、疎外と排除によって保たれる純潔さというものが語られていることは間違いありません。

少なくとも、人々は誰一人として、「森」への追放の可能性から免除されてはいず、みずからがあわれな一角獣として、壁の外に投げ出されないという保証を持っていません。そのことは、「影」の論理に同意して、一度は脱出を試みながら、ついには、「心」を捨てきれなかった人間として、「森」に追放されて残る「僕」の物語が明かしています。「森」にはすでに、幾人もの「僕」が、そこから外れたものという烙印を押され、追放されているからです。

それならば、あの「影」の論理、この街は不自然で間違っている、弱い不完全な方の立場からものを見なければならない、というあの論理は、ほんとうに、「正しく」「美しい」といえるのでしょうか。加藤さんは、これを、あまりにも正しすぎ、一点非の打ちどころがないがゆえに、自分の「良心」と「人間性」を信じて疑わない鉄の意志をもった「革命家」の論理に通ずるものであると断じました。加藤さんが、そう言う根拠は、「弱い不完全な方の立場」に立てという「影」の主張は、それ自体、弱くも不完全でもなく、むしろ、強く完全なものであるということでした。そこには、「弱い矛盾した微小な存在」にとどまるというモティーフが、認められないといいます。

そこから、加藤さんは「影」を脱出させ、「僕」を「心」を捨てきれない人間として、「森」にとどまらせた村上春樹の物語の困難を指摘したのでした。加藤さんは、もしこの「影」の正しさの「論理」に対抗する場所があるとするならば、「心を失くした街の住人」からも、「獣や影や森の人々」からも隔てられた「どこにもない場所」を自分の居場所とするということではないか、という問題を投げかけたのでした。私には、加藤さんの指摘の重大さを受けとめたうえで、やはり村上春樹の物語が私たちに訴えかけてくるものに耳を傾けたいという思いがあります。この街は不自然で間違っているという「影」の主張は、どんなに強く正しいものであろうと、この世界のなりたちを考えるうえで、避けて通ることのできないものと思われるからです。

村上春樹は、この「影」の論理を通して、「ハードボイルド・ワンダーランド」のシステム的世界のちょうど裏側に「世界の終り」の自足した世界があることを語ろうとしたのです。そして、それらが、表と裏をぴたりと重ね合わせられるように存在していることを語ろうとしたといえます。そのかぎりで、「影」の脱出行を、竹田青嗣のようにそういう世界のなりたちに対する困難な「抗い」と受け取ることも可能なのです。竹田さんは、次のような印象深い言葉を記しています。

「僕」自身の「世界の終り」から出てゆこうとする影は、〈世界〉への通路をもう一度見出すことの可能性であり、「僕自身を囲む」〈自己〉の壁の中で、「心」をとり戻そうとする「僕」は、自分と他人の「心を揺らせるような何か」を焼き尽くすかもしれない自らの根深い〈世界〉イメージに抗おうとする、作家のひどく困難な意志のかたちではないだろうか、と。

（「〈世界〉の輪郭――村上春樹、島田雅彦を中心に」『〈世界〉の輪郭』所収）

加藤さんもまた、竹田さんのこの言葉を引いて、このようなモティーフを村上春樹が手にしていたことは考えられる、だが、そのことを認めることはできない、というのも、村上春樹がこのモティーフを竹田さんのいうように、かけがえのないものとして生きているとは思われないからだ、といいます。

だが、私は、竹田さんのいう「〈世界〉への通路をもう一度見出すことの可能性」という言葉を、そういう世界のなりたちをくもりのない目でとらえていく可能性と読み取ることができるならば、やはり、肯わずにはいられません。村上春樹が、竹田さんのいう「抗い」というモティーフをどのように生きているかは別にして、私には確かに村上が「影」の言動を通して、次のことを語りかけているように思われるからです。

「心」を失った街の純潔さが、隠微な疎外の構造の上に成り立っていること、そして、それをくるりとひっくり返したところに巨大な網の目状のシステムからなる均質空間があらわれること、さらには、「世界の終り」の街の不自然さが、そのままのかたちで、その均質空間の不自然さに通ずることをです。この街を脱出しようとする「影」は、だから、そういう不自然さの根源を明らかにしようとする困難な意志のかたちなのです。そこに、強さや完全さが伴ってしまうとするならば、「論理」というものが世界をつかもうとするとき、不可避的に負わなければならないもののように思えるのです。

とはいえ、「影」の論理が、「良心」と「人間性」を信じて疑わない鉄の意志をもった「革命家」

の論理に通ずるという加藤さんの言葉にも根拠があると思うのです。どんなに困難な意志を秘めたものであろうと、やはり、「正しさ」を仮装する論理は、どこかでみずからを過つと思われるからです。

だからこそ、村上春樹は、「影」の論理に一度は同意した「僕」をして、脱出の間際になって思いとどまらせたのではないでしょうか。それならば、「僕」がこの街に、追放された人間として残る理由、この街は自分の作りだした世界である以上、自分のしたことの責任を果たさなければならないという村上春樹が最後に「僕」に分け与えた理由をいったいどう解したらいいのでしょう。

罪と加担の意味について問う

加藤さんは確かに、この理由が「影」の正しさの論理への反論になっていず、もしそれに対抗できるものがあるとするならば、どんな理由もなく、ただ徒手空拳のままにそこにとどまるということではなかったかと述べていました。そこにとどまるということが、「心」をもたず、何らかのかたちで、「心」の空虚の凹型だけをかかえて生きていくということにほかならないともいっていました。

私は、加藤さんの描いた、このもはや選択ということのできないような選択のかたちに動かされます。だが、一方で村上春樹の与えた「責任」を果たさなければならないという理由が、加藤さんのいうほど「ぎこちない」とは思われないのです。そこにできうるならば、一筋の糸をつなげたいという思いを拭うことができません。

そこで、村上春樹が、「ハードボイルド・ワンダーランド」の物語で周到に張った伏線の意味を思い起こしてみましょう。老科学者が、「私」の大脳に「シャフリング・システム」を設定するための人体実験をおこなった際、「私」の「意識の核（コア）」が他の計算士にくらべてはるかに完璧なかたちを保っているため、それを再編集して、さらに高度な回路へと埋めこむことに「私」一人の場合だけ成功したというあの挿話です。このことは、いったい何を意味するのでしょうか。

みずからの深層に秘められた「意識の核（コア）」に、あの「世界の終り」の不自然な街のすがたを完璧なかたちで映しとっていた「私」とは、この世界のなりたちの根本のところで、みずからが深くそのような世界形成に加担していたということではないでしょうか。少なくとも、村上春樹は、あの「街」の不自然さを告発することのできる者は誰一人いず、誰でもが多かれ少なかれその不自然さに加担しているということを語ろうとしたのです。そのため、その街のすがたを最も完璧なかたちで「意識の核（コア）」に仕舞いこんでいる人間を造形し、その責任を問わせることによって、いわば世界に関する人間の「罪」の問題を投げかけているのです。

「責任」という「僕」の言葉は、それゆえ、世界への加担の「責任」を意味するといえます。慈愛と献身に支えられた静かな満ち足りた生活が、あまりに純潔に彩られているがゆえに、どこかで微妙にゆき違う人々を外部にかき出すことによって成り立っているとするならば、そのような世界とは、誰もがまずかき出される側ではなく、かき出す側にあるということを必須の条件としているのです。そのことに関わる根深い加担の意味が、そこでは問われているといえます。

それならば、自分のしたことの「責任」を果たさなければならないといって、「影」と別れる

「僕」は、この加担の意味をどのように問うのでしょうか。そこに、村上春樹が最後に出会った困難が顔をのぞかせているように思われます。

ともあれ、「僕」はもはや街の住人として静かな満ち足りた生活へと戻ることかなわず、「影」を捨てきれなかった人間として、暗い森をさまよわなければならないということだけは、間違いありません。「僕」は森のなかで、捨てきれなかった「心」を、ただその加担の意味について問うという、そのことだけにくだいていくのです。そのようなすがたを、森のなかの「僕」の上に思い描くならば、そこにどのようなイメージが浮かぶでしょう。

たどりつくすことのできない男女の「愛」のかたちへの予感

たとえば、ドストエフスキーの『白痴』のムイシュキン公爵を思い起こしてみましょう。彼は、この世界のどこにも居場所がないという思いにとらわれると、自分がどこにいるのか誰一人知る者のいない「陰鬱な淋しい場所」へと心がおもむいていくのでした。そんな時に、彼の脳裏に浮かぶのはこんな風景であり、そこである一つのことを一生考えていたいと思うのでした。

> 山といっても、その中で馴染みの深いある一つの場所で、彼は好んでいつもその場所を思い浮かべた。それは、彼がまだスイスに暮らしていたころ、毎日のように出かけて、下の村を見おろしていたところである。そこから下の方に、やっと見えるか見えないぐらいの、白糸のような滝、白い雲、捨てて顧みられない古城の廃址も指摘される。おお、どんなにか彼

は今この場所に立ってただ一つのことばかり思い続けていたかったろう。——おお！　一生このことばかり思い続けていたい、——このこと一つ千年のあいだ考えとおすにも十分である！

（米川正夫訳）

このようなムイシュキン公爵のすがたを、暗い森にとどまる「僕」に重ね合わせることはできないでしょうか。「影」と別れた「僕」の、ついに「心」を捨てきることのできない「心」に映るのは、「やっと見えるか見えないぐらいの、白糸のような滝、白い雲、捨てて顧みられない古城の廃址」のようなものではないでしょうか。そこで、「僕」はもはや世界への加担の意味を問うというそのことさえ忘失して、ただ「問う」というそのことのなかへとどこまでも降りていくのではないでしょうか。

そのような「僕」のすがたは、あるいは、加藤さんのいうように「彼は『心』が空ろなのか、『心』を空ろにしているのか、ぼく達にはわからない。彼が本当は何を考えているのかはぼく達には明かされない。ぼく達が知っているのは、彼が心を失くした、ということだけで、その瞬間から、それが彼にとって何を意味するのかは、ぼく達の眼からは隠されているのである」という具合に描かれるものなのかもしれません。そのかぎりで、加藤さんの描く「僕」のイメージに、私の思いのなかの「僕」のイメージを重ね合わせることができます。

ただ、私には「彼が本当は何を考えているのか」、心を失くしたということが「彼にとって何を意味するのか」明かされないというそのことの奥に、ナスターシャとアグラーヤの間で、またラゴージンとナスターシャの間で、ゆえ知らず思い惑うムイシュキンの、自分でさえ意識することのできない加担と罪の響きのようなものが、メカニカルな音を立てて鳴り続けているように思われるのです。

もちろん村上春樹は、「影」と別れて一人森に残る「僕」に、ムイシュキンの無垢を分け与えてはいません。「影」に向かって「僕は自分がやったことの責任を果たさなくちゃならないんだ。ここは僕自身の世界なんだ。壁は僕自身を囲む壁で、川は僕自身の中を流れる川で、煙は僕自身を焼く煙なんだ」という「僕」は、ムイシュキンよりもはるかに醒めた意識をあたえられています。

それにもかかわらず村上春樹は、この「僕」が森のなかで、捨てきれない「心」をただ一つのことにくだいていき、やがては自分でも、そのことがどういうことなのかわからないまま、それでも、「心」をくだくというそのことだけをいつまでもしていたいと願うようになることを暗示します。「世界の終り」の最後近く、「僕」のすがたが次のように描かれます。

たまりがすっぽりと僕の影を呑み込んでしまったあとも、僕は長いあいだその水面を見つめていた。影を失ってしまうと、自分が宇宙の辺土に一人残されたように感じられた。僕はもうどこにも行けず、どこにも戻れなかった。そこは世界の終りで、世界の終りはどこにも通じていないのだ。そこで世界は終息し、静かにとどまっているのだ。

僕はたまりに背を向けて、雪のなかを西の丘に向けて歩きはじめた。西の丘の向こう側には街があり、川が流れ、図書館のなかでは彼女と手風琴が僕を待っているはずだった。

降りしきる雪のなかを一羽の白い鳥が南に向けて飛んでいくのが見えた。鳥は壁を越え、雪に包まれた南の空に呑みこまれていった。そのあとには僕が踏む雪の軋みだけが残った。
――――

その「世界の終り」の街で、いや正確には森のなかで、「僕」はただ一人、一つのことを、言葉にしていえば「世界」への加担といえるかもしれないそのことに「心」をくだいていくことは、疑いないように思われます。

だが、村上春樹は、そのような「僕」のすがたを暗示するにとどめて、物語を終えました。この物語の後に、村上春樹が「僕」の物語を、もう一つの物語へと仕上げていくことを願わざるをえません。それは「僕」が、『白痴』のムイシュキンのようにか、あるいは漱石の『門』の暗い過去を背負って呆けたような日常を過ごす宗助のようにか、いずれにせよ、誰にも「心」を明かすことのない人間として、たどりつくすことのできない男女の「愛」のかたちに思い惑い、そこに、ゆえ知らぬ罪と加担の意味を問いつづける物語といえます。

回生の言葉

——江田浩司『重吉』

文字が読めないほどの精神的失調

もう何十年も前になりますが、精神的に失調をきたして、活字を読むことができなくなりました。まず散文を何行か追っていると、胸が苦しくなってきます。評論などというものは、なおさらなのですが、それまで心酔してきた、小林秀雄、吉本隆明といった人たちの批評文でも、駄目でした。詩ならばと思って、同じ吉本隆明の詩集や鮎川信夫の詩集を手に取ってみたのですが、やはり、読み続けることができません。

私は、できるだけ心を静めて、中原中也の詩編に目を通してみました。すると、「ホラホラ、これが僕の骨だ」とか「汚れつちまつた悲しみに／今日も小雪の降りかかる」とか「あれはとほいい処にあるのだけれど／おれは此処で待つてゐなくてはならない」といった言葉が、こころに浸みこんでくるような気がしました。

中原中也の代わりに、八木重吉の詩編に目を通していたらどうなっていたでしょう。それはわかりませんが、少なくとも江田浩司が「十代のなかば頃か、もう少し幼い頃」に重吉の詩に出会って何度も慰められ、勇気を与えられ、救われたのは、その時、江田さんが、私と同じように活字を読むことのできないほどの精神的失調に陥っていたからではないでしょうか。以下のような言葉は、すべてその時の心的状態に棹さすことによって生まれたものということもできます。

くるしみの重さにまさるおもひのみ春のひかりをうけてかがよふ
はるの日が窓のすきまをもるるこゑこのかなしみをささげもつべき
いきをすることもいのりとつぶやけり空にむかつて眼をひらく
ゆふぐれのしづかな空にひとすじのこころはながれすべては溶けぬ
おほぞらにみみをすませばさぶしさは今すはだかのにくしんとなる

ここでうたわれた「くるしみ」「かなしみ」「いのり」「ひとすじのこころ」「さぶしさ」といった言葉は、どのような心のありかを示しているのでしょう。

たとえば江藤淳は、八木重吉の詩にうたわれた「かなしみ」について、彼のなかの神を呼ばずにいられない心に由来するとしながら、やはりそこには「実存的体験」が反映されているのではないかと語っています（「詩人の肖像」『日本の詩歌23　中原中也・伊東静雄・八木重吉』）。ここでいわれる「実存的体験」を、文字を読めないほどの精神的失調と解するならば、江藤淳もまた、そのような体験を得ていたにちがいないと思われるのです。

とはいえ、その内実については、容易なことでは説明できません。説明できないからこそ、詩の言葉が、うたの言葉があらわれてきたといえます。にもかかわらず、あえて散文の言葉であらわしてみるならばどうでしょう、「くるしみ」や「かなしみ」にとって絶縁体としてはたらく散文の言葉で。

そう思って、村上春樹『世界の終りとハードボイルドワンダーランド』の以下のような一節を引いてみることにしました。

たまりがすっぽりと僕の影を呑み込んでしまったあとも、僕は長いあいだその水面を見つめていた。影を失ってしまうと、自分が宇宙の辺土に一人残されたように感じられた。僕はもうどこにも行けず、どこにも戻れなかった。降りしきる雪のなかを一羽の白い鳥が南に向けて飛んでいくのが見えた。鳥は壁を越え、雪に包まれた南の空に呑みこまれていった。そのあとには僕が踏む雪の軋みだけが残った。

コンピューター計算士の「僕」は、見えないシステムによって意識の核(コア)に閉じ込められてしまいます。そこに行きついてみると、聳え立つような壁に囲まれた一つの街が広がっています。「僕」は、門番によって「影」と引き離され、やがて心と記憶を失くしていくことを条件に、その街の住人となっていきます。

先に引いた江田さんのうたが、たとえば、そういう「僕」の心的状態をあらわしていると思って読んでみてはどうでしょうか。出所不明のような「くるしみ」「かなしみ」「いのり」「ひとすじのこころ」「さぶしさ」が、みずからの「影」と引き離され、心と記憶を失っていく「僕」のものであるように思われてこないでしょうか。

デタッチメントからアタッチメントへ

村上春樹の物語では、「僕」から引き離された「影」はしだいに弱っていくのですが、このままではいけない、この街は弱いものや不完全なものに何もかも押し付けることによって成立っている、そういう欺瞞を暴くためにも、ここから脱出しなければならないといって、「僕」に同行を促します。一度は諾(うべな)った「僕」ですが、この街は「僕」の意識の核に映し出された街にほかならない、だから自分には、この街に残って自分の責任を果たす義務があるといって脱出する「影」を見送るのです。

そのあとに続くのが、先の一節なのです。ここには、村上春樹の失語体験、あの活字が読めなくなるような精神的失調の体験が映し出されているといっていいでしょう。しかし、そのような心的状態を村上春樹は、この街に残って自分の責任を果たす義務があると考える「僕」に与えるのです。ここにあるのはどういう問題でしょうか。

村上春樹の言葉でいえば、デタッチメントからアタッチメントへということになるのですが、あの出所不明の心的状態から、何かにかかわっていく心、たとえ自分を焼き尽くすような他人であってもそこに承認を求めていく心、それはいったいどういうことなのか、そう村上は問うているように思われます。

つまり、精神的失調の体験は、散文は読めないという決定的な判断を植えつけるのですが、にもかかわらず、私たちがほんとうに癒され、ゆるされるためには、散文を読めるような心的状態が要請されなければならない。私たちには責任と義務がある、ということは、散文的文脈でいわれるのではなく、最低の暗部に詩やうたをかかえた散文の言葉でいわれなければならないのです。

それでは、江田さんの作品は「くるしみ」「かなしみ」「いのり」「ひとすじのこころ」「さぶしさ」をかかえてなおかつ村上春樹の散文に匹敵するような言葉を残しているでしょうか。

まつの木のねもとに露のひかりありありしんしんとながれくるきりすと
地におちてひろがるひかりきりすとがかなしみを負ふおとづれならむ
ここに詩がありますす息をしてゐますすこれがわたしの生贄なのです
あなたのまへで血をあびてゐることの葉を十字架としてむねにおさめむ
この人を見るときなにをみるのだらうわたしのうちにひとつの光
やさしさはきびしさとして死をもとめ詩をかきつづる神のみまへに
いきてゆくいのちの空にまぼろしがみたまのごとく耀いてゐる

「貧しき信徒」八木重吉から受け継いだ神やイエス・キリストへの回心の心がここにはうたわれています。神もキリストも、人間に試練をあたえ、迷える羊のようにして導く存在ではありません。

十字架上のイエスは、息絶える間際に「わが神、わが神、なぜ私をお見捨てになったのですか」という言葉を残したといわれています。

イエスのなかの救われなさに対する慚愧の念と神へのかすかな不信の念をそこからは受け取ることができるとされてきたのですが、むしろそこにあるのは、父なる神は子を救えないほど弱きものであったのかという気づきなのではないでしょうか。江田さんの言葉は、そのことを思わせるように、キリストや神をうたっているのです。

この時の江田浩司の言葉が、散文がどうしても読めない心的状態から回生していることはまちがいありません。それはまさに、イエスのなかに弱さを認め、それ以上に神そのものの弱さに気づいていくこころなのですが、そういう気づきこそが、私たちを責任と義務へと促すのです。そうであるとするならば、ここにうたわれているのはまさに散文的というほかない何かなのです。

理由なき死

——松山愼介評論集

存在の場所に実在感がないということ

松山愼介の「村上春樹論」（「村上春樹と『一九六八年』」）は、一九六八年という年代記とその時代の死に焦点を当てた点で、数ある村上春樹論のなかでも際立ったものといえます。「『ノルウェイの森』のなかの死」、「『ねじまき鳥クロニクル』とノモンハン戦争」と見出しを挙げていくと、モティーフの所在が明らかになってくるのですが、これを一括りにするならば、「死と戦争」というのが松山さんにとっての根源のモティーフであるということになります。

このようなモティーフを批評の言葉で表現していくためにとった松山さんの方法は、丹念なストーリーの追跡と要所要所での立ち止まりということです。私など、要所に立ち止まりはするものの、ストーリーはそっちのけにその要所からさまざまな文学哲学思想へと逸れていくのですが、松山さんはその点、禁欲的に批評の言葉を進めていきます。そういう松山さんの批評がもっともよく発揮されたくだりを一つ挙げてみます。『ノルウェイの森』の直子が姉の死について語る場面です。

直子は小学六年の秋に、心に傷を負う体験をしている。六歳年上の姉の自殺の現場を見てしまったのである。姉は成績もスポーツも良く出来たが、二ヵ月か三ヵ月に一度くらいの割合で沈み込み、学校を休んで部屋に閉じこもることがあった。雨が降って、どんよりと暗い秋の日、夕食の支度が出来たので直子は、姉を呼びに行って姉が縊死しているのを見てしまったのだ。姉は《窓辺に立って、首を少しこう斜めに曲げて、外をじっと眺めていたの。まるで考え事しているみたい》な様子だった。直子は「ねえ何してるの？　もうごはんよ」と声をかけた時に異常に気づく。死んでいる姉の様子の描写は小学生の女の子の目線という限定があるが、村上春樹独特のものがある。姉の背がいつもより高くなっていて、ハイヒールをはいているようだったとか、足の先がバレエの爪先立ちみたいに伸びていたというように姉の死の様子が描かれているが、どこか乾いていて、無機的である。

直子がワタナベ君に語る場面を批評の言葉で再現しているのだが、これがないと、読者は直子の姉の死を読み落としてしまうかもしれません。松山さんの批評の言葉は、そういう読み落としをふせぐ点で大事な役割を担っています。

だがそれだけではありません。ここには、直子という女性が、姉の存在の反復であり、高校時代に自殺した恋人のキズキの反復としてあることが明らかにされているのです。六歳年上の姉は死ぬ理由が何もないにもかかわらず、縊死してしまいました。恋人のキズキも、死ぬ理由がどこにも見当たらないのに、車に排ガスを引き込んで中毒死し、直子の前から姿を消してしまいました。

同じように、直子もまたワタナベ君との間にただ一度だけ性的なエクスタシーを感じたにもかかわらず、彼の前から姿を消し、京都の山奥の療養所へと身をかくしてしまいました。直子の居場所を探し当て、彼女のそばに寄り添っていたいと思うワタナベ君の思いもむなしく、直子は姉とそっくりな様子で縊死してしまいます。直子は姉の死を目にしてから、「三日間、口がきけなくなって寝込んでしまう。この心の傷を胸に秘したまま直子は生きてきたのである」と松山さんはいいます。

それならば、直子の自殺は、姉の死とキズキの死が彼女に深い傷を負わせた結果だったのでしょうか。そのことについて、松山さんは何も語りません。が、ゆいいつ、《死は生の対極としてではなく、その一部として存在している》という言葉を引用することによって、世界とかかわりあえないということ、みずからの存在の場所に実在感がないこと、そのことを宿命づけられた人間の不幸を示唆するのです。

私は先ごろ『ノルウェイの森』を再読して、この小説が漱石の『こころ』に匹敵するような優れた作品であるとあらためて思いました。それは、直子をはじめこの小説に登場する人物の誰もが、みずからの存在の場所に実在感がないこと、そのことを宿命づけられた人間として描かれているからです。『こころ』の先生やKをそのような人間として描き、彼らの自殺にどのような理由も見いだせないことを小説のテーマとした漱石の手法が、ここには生かされていると思ったのです。

『ノルウェイの森』は、主人公の「僕」がドイツ、ハンブルク空港へ着陸しようとする飛行機のなかで、恋人だった直子との思い出を回想するシーンから始まります。その回想のなかで直子が森の中の井戸のことを話すシーンがあります。直径一メートルばかりの暗い穴が、鬱蒼と茂った雑木林のなかにあって、柵も囲いもなく、縁石は風雨にさらされて変色しています。ふだんは草に覆われているのですが、身を乗り出して覗き込んでみると、見当もつかないくらい深い穴があいていて、濃密な闇が奥まで続いていています。

直子は「僕」にこのような暗い井戸の話をしながら、自分はいつかその井戸に落ちてしまい、最後にはだれからも忘れ去られるかもしれないといいます。たとえそういうことがあっても、自分のことをいつまでも気にかけてくれるだろうかと、「僕」に問いかけるのです。いったいこの「井戸」とは何なのでしょうか。

直子が、この暗い井戸のなかに落ちていくような不安にとらえられるのは、自分の存在が自分のものではないように感じられるときです。みずからの存在の場所に実在感がないと感じられるとき、鬱蒼と茂った雑木林のなかにあって、柵も囲いもなく、縁石は風雨にさらされて変色しているあの井戸が目の前にあらわれる。のぞきこんで見ると、そこには底がなく、洞窟のようなものへとつながっている。直子の怖れや不安は、この洞窟の奥からやってくるのではないでしょうか。

圧倒的なイデアの光

たとえば、プラトンの『国家』においてソクラテスは、このような洞窟についてこんなふうに語りかけます。暗い洞窟のなかで、人間たちは、生まれながらに壁に向かって縛られている。そういう洞窟というのは、実は、私たちの内部に秘められているのであって、その洞窟をのぞいてみるならば、私たちとは、鉄の鎖でもってたがいに拘束し合っている存在である。そのことに気づき、そこからうまれる憎しみや怨みから解き放たれるためには、イデアの光といっていいものにあずかるほかにない。

ソクラテスにこのように語らせて、イデア説というものを表明しているのは、プラトンです。しかし、ソクラテスがいおうとしたのは、もう一息深いことだったのではないでしょうか。

このような鉄の鎖から解き放たれることのできない存在はどうなるのか、もしイデアの光にあずかることができなければ、結局のところ暗い洞窟に一生拘束されたままになるのだろうか、一生拘束されたまま、憎しみや怨みを無意識の奥にため込んでいくのだろうかと、そういいながら、ソクラテスは、このような深い井戸とその奥の洞窟に魅入られた人間とは、みずからの存在の場所を根本から見失った人間にほかならない、そういう存在にとって、残されたものは「死」いがいにない。

このような言説を過激なまでに述べたのがソクラテスであり、だからこそ彼は死ななければならなかったのです。

直子や直子の姉やキズキのなかには、そのような暗い穴がうがたれていました。そのことを、村上春樹は、漱石が『こころ』において先生の暗い過去をのぞき見ようとする「私」の語りと、「私」にあてられた遺書を通して示唆したように、読者に暗示するのです。同時に、『ねじまき鳥クロニクル』において、深い井戸に魅入られたもう一人の人物を造形します。間宮中尉です。

松山愼介の「村上春樹論」のすぐれているのは、この間宮中尉が深い井戸に落とされるきっかけとなった事件とその後のノモンハン戦争について、ここでもまた丹念なストーリーの追跡と要所要所での立ち止まりという方法で批評を進めている点です。

昭和十三年四月（ノモンハン戦争の前年）、間宮少尉（当時）は山本という民間人を装った特務機関らしき男の警護兵として、本田伍長、浜野軍曹の四人でハルハ河を越えて外蒙古の領土に侵入した。山本は外蒙軍の内部にはたらきかけ、反ソ軍の将校を日本軍に内通させる工作をおこなっているらしかった。山本の任務終了後、満州側に出ようとしたところで、彼らは蒙古兵に捕まってしまう。自白を拒んだ山本はロシア人将校（ボリス・グローモフ内務省秘密警察、NKGB少佐であることが第三巻で明らかにされる）の指示で、蒙古人の熊のような将校によって、専門の湾曲した刃渡り十五センチくらいのナイフによって皮を剝がれ出血多量で死ぬ。

間宮はそこから馬で二、三時間行ったところにある涸れた深い井戸へ連れていかれる。そこですぐさま射殺されるか、井戸に飛び込むかを選択させられる。間宮は思い切って井戸に飛び込む（略）相当の時間が経過した後で、間宮は本田伍長によって井戸から救出される。本田はその予知能力で、蒙古兵の襲撃を察知し、隠れ、その後苦労して、間宮の飛び込んだ井戸までやってきたのだった。救出されるまでの絶望的な時間のなかで、間宮はこの深い井戸の底にまで届く何十秒かの太陽の圧倒的な光に包まれる体験をする。

松山さんのいう「深い井戸の底にまで届く何十秒かの太陽の圧倒的な光に包まれる体験」という

のは、一日のうちで正午に近い時間、太陽が中天に達する何十秒かのあいだ太陽の光が暗い井戸の底まで射し込んできて、間宮中尉の全身を包み込むという体験です。

それが一度ならず二度やってきたとき、間宮中尉は「私は自分が再びその圧倒的な光に包まれていることを知りました。それは最初のときよりもずっと強い光でした。私はほとんど無意識に両方の手のひらを大きく広げて、そこに太陽を受けました。それは最初のときよりもそれは長く続きました。少なくとも私にはそう感じられました」というのである。このとき、彼は、この「見事な光の至福の中でなら死んでもいい」「いや、死にたいとさえ」思ったといいます。「人生の真の意義とはこの何十秒かだけ続く光の中に存在するのだ、ここで自分はこのまま死んでしまうべきなのだ」と。

このときおそらく間宮中尉は、イデアの光といったものを感じていたのです。それは、彼の中の憎しみや恨みといった感情をすべて溶かしてしまい、どのような拘束からも解き放ってくれるような光であったのです。自分はここでこのまま死ぬべきであったという彼の言葉は、そういう光というのが、「死にいたるまでの生の高揚」(バタイユ)をもたらすということを告げ知らせてくれます。

しかし、ほんとうに存在を左右するのは、そのような光に照らされたということでもなければ、そのような光に包まれて死にいたるまでの生の蕩尽にあずかったということでもありません。むしろ、圧倒的なイデアの光によっても解き放たれることのできない存在とは、どのような宿命を負わされるのかということなのです。

間宮中尉は、そのことを「私は死ぬべきであった時間に死ぬことができなかった」「私はここで死なないのではなくて、ここで死ねなかったのです。おわかりになりますか。そのようにして私の恩寵は失われてしまったのです」という言葉であらわします。彼はそのようにして、一度あたえられたかにみえた「恩寵」を失くした人間として、帰還するのです。

弁明の成り立たない醜態

　松山愼介の批評は、このような間宮中尉のすがたに何を見ようとしているのでしょうか。彼が「恩寵」を失くしたのは、暗い井戸の底で死ねなかったからではなく、そこから救出されたのち、なお生き延びて、言葉では尽くせないようなことに手を染めてきたからではないか。松山さんは、そこに日本人がノモンハンをはじめとして中国大陸で行ってきたことの陰画を見ようとしているかにみえます。

　それは、村上春樹の中に「死と戦争」というモチーフを探り出そうとして、ノモンハン戦争への村上の関心のありかを様々な資料を駆使して追跡しているところからもうかがわれます。そこには、戦後の日本人がノモンハン戦争だけでなく中国大陸で行ってきたことをあたかもなかったことにしようとしていることへの危惧がはたらいています。そういう危惧を村上春樹のもっともすぐれた小説やエッセイの中に、探り当てようとしているといってもいいでしょう。

　松山さんの追跡的批評をたどっていくと、たしかに村上春樹というのは、あの戦争で出逢ったこと、そして出逢い損なったことを小説的言語によって再現しようとした太宰治、大岡昇平、武田泰淳、梅崎春生、島尾敏雄、遠藤周作といった作家たちの系譜につらなる作家であることが分かってきます。

たとえば、その筆頭に位置する太宰治は「トカトントン」において、軍隊から復員した青年の、何事についても本気になろうとすると金槌で釘を打つような「トカトントン」という音が聴こえてくるという悩みに対して、「あなたはいかなる弁明も成り立たない醜態を避けているのではない」かと問いかけるような作家を登場させます。

太宰治は村上春樹のように、あの暗い井戸から救出された後、ノモンハン戦争において「いかなる弁明も成り立たない醜態」を演じたかもしれない間宮中尉という人物を造型する代わりに、「トカトントン」という幻聴からのがれられないという復員兵の少々滑稽な姿を描くことによって、どのような「醜態」もなかったことにしてしまおうとする戦後の風潮に一矢を報いようとしたのです。

太宰治からはじめて村上春樹にまでいたる作家たちは、すべてをなかったことにしてしまう日本の戦後が、まるで偽物のイデアの光に包まれているように思われてならなかったのです。だからこそ、間宮中尉の特異な体験が描かれなければならなかった。

ほんとうにイデアの光に刺し貫かれた人間は、暗い井戸から解放されるのではなく、あの時自分は死ぬべきであったという思いを抱えて還ってくるのではないでしょうか。いやむしろ、どうしても死ぬ理由が見つからず、自分には死ぬことさえもゆるされていなかったという思いを抱え、最後にはもう一度暗い井戸の底に降りて行くようにみずからを死へと追いやっていくのです。

村上春樹は、そういう宿命を負わされた存在として、直子や直子の姉やキズキを描き、彼らの理由のない死には重大な意味があるということをメッセージとしてつたえようとしたのです。そのことは、『ねじまき鳥クロニクル』の再帰表現として『ノルウェイの森』を読み直してみるならば、明らかになるでしょう。そこに松山さんは、世界とかかわりあえないということ、みずからの存在の場所に実在感がないこと、そのことを宿命づけられた人間の不幸を読み取ります。

つまり彼らは、一度はイデアの光によって暗い洞窟から解き放たれたかのようにみえたものの、結局は、そこから最後までのがれることのできなかった者たちなのです。にもかかわらず、彼らのように死を余儀なくされた人間たちこそが、「トカトントン」の復員した青年はもちろんのこと、間宮中尉でさえとらえることのできなかったあるものを手にしているといえるからです。

赦されるものの声

最後に松山愼介のいうみずからの存在の場所に実在感がないこと、そのことを宿命づけられた人間の不幸とはどういうものかについて、考えてみます。村上春樹が、これをどのような小説的現実として描いていったかということではなく、いまにいたるまで描くにいたっていない小説的現実として、これをドストエフスキーの『白痴』に読み取ってみたいのです。

ドストエフスキーは、『白痴』の中で、ペトラシェフスキー事件で死刑寸前になったときのことを、ムイシュキン公爵に語らせています。ある人から聞いたといって、ムイシュキンはこんな話をします。

その人がいうには、死刑まであと五分となったとき、最初の二分間は友人のことを考え、次の二分間は自分のことを考え、そして、最後の一分間は周りの風景を眺めようと思った。ところが、最後の一分になって、ずっと向こうの会堂の屋根が日の光でキラキラきらめいている。それを見ていると、自分はあと一分後に何とも知れない「新しい自然」になってしまうという、ものすごい嫌悪の情にとらえられた。

そこで、皇帝による恩赦がつたえられ、死刑囚は銃殺をまぬかれるのですが、しかし、このムイシュキンの話には、字義通りには受け取れないものがあります。というのも、そのときの自然というのは、そういう嫌悪をもたらすような自然だけなのだろうかという思いがあるからです。

会堂の屋根がキラキラと輝いているというのは、何かもっと違う自然がそこに存在しているということではないでしょうか。たとえば小林秀雄は「『白痴』について」において、嫌悪の情というのは、そこで意識の先端が震えているということだ、生と死の一番瀬戸際にきて、自分という存在はここで無となってしまうという現実に、意識のすべてが向かっているのだと述べています。その文体は緊迫感があって、決してネガティブなものを印象づけません。しかし、会堂の屋根に差す日の光の向こうに届くような言葉は、そこに見出すことができません。いったいどのようにすれば、その言葉は探し出されるのでしょうか。

そこで、こんなふうに考えてみます。〈自分はあと一分後に何とも知れない「新しい自然」になってしまうと思うと、ものすごい嫌悪の情にとらわれた〉という言葉は、ムイシュキンの無意識をあらわした言葉で、「ある人（ドストエフスキー）」の無意識をあらわした言葉ではない。ムイシュキンの無意識は、たとえば余命二か月と宣告されたイポリートが、一匹の蠅さえもこの自然のなかで居場所をえているのに、ただ自分一人だけがのけ者にされていると告白したとき、不意にスイスの療養所で味わったあることを思い出すときのそれです。

ある太陽の輝いている晴れた日に、彼は山へ登って、ある悩ましい、とても言葉では表現できない考えを抱いて、長いことあちこち歩き回ったことがあった。眼の前には光り輝く青空が拡がっていた。下のほうには湖があり、四方には果ても知らぬ明るい無限の地平線がつらなっていた。彼は長いことこの風景に見とれながら、苦しみを味わっていた。彼は自分がこの明るい果てしない空の青にむかって両手をさしのばしながら、さめざめと泣いたことを思い出した。彼を苦しめたのは、これらすべてのものに対して、自分がなんの縁もゆかりもない他人だという考えであった。

（木村浩訳）

ムイシュキンは、光り輝く青空の向こうに目をやりながらイポリートと同じように「自分一人だけがのけ者にされている」と感じています。それは、死刑寸前で、向こうの会堂の屋根にキラキラ光る日の光を見ながら何ともいえない「嫌悪の情」にとらわれたという死刑囚の告白にも通じます。しかし、「死刑囚（ドストエフスキー）」の無意識は、イポリートやムイシュキンよりも一息深いものだったのではないでしょうか。

私は、それをドストエフスキーにおける回心の経験と考えるのですが、このとき死刑囚であるドストエフスキーは、向こうの会堂の屋根にキラキラと輝いている日の光に、十字架に架けられたイエス・キリストをかいま見たのではないか、そしてそこから「赦し」といっていいあるものを受け取っていたのではないか。そのことを、ドストエフスキーは、『白痴』のなかで、ただ一箇所、以下のような場面にあらわすのです。それは、エパンチン家の夜会での告白と騒動からしばらくたって、イポリートとムイシュキンが再開した場面です。

「あなたがたはみんなこのぼくをまるで——まるで陶器の茶碗みたいにびくびくしながら扱っているようですね——なにかまいません、かまいません、ぼくは怒りゃしませんよ。もっともどうやら、ぼくはできるだけ早く死ななくちゃならんのですよ、でなければ、ぼく自身で——いや、放っといてください。失礼します。ところで——ああ、そうそう。いや、ひとつ教えてくれませんか、どうしたらいちばんいい死に方ができるでしょうね？　つまりその、どうしたらできるだけ人の役に立つ死に方ができるでしょうね、さあ、教えてください！」

このイポリートの問いかけに対して、もはやムイシュキンのなかにイポリートのなかの「のけ者意識」（それは松山さんのいう、みずからの存在の場所に実在感がないこと、そのことを宿命づけられた人間の不幸の意識でもある）にシンクロナイズするものはありません。代わってこんな言葉が出てきます。

「どうか私たちのそばを素通りして、私たちの幸福を赦してください」公爵は静かな声で言った。

このときのムイシュキンの言葉には、ドストエフスキーの無意識の声がまちがいなく響き合っています。死刑寸前に見えていた会堂の屋根にキラキラと輝く日の光。その光の向こうから「どうか私たちのそばを素通りして、私たちの幸福を赦してください」という言葉が聞こえてこなかっただろうか、そうドストエフスキーはいっているのです。

『ノルウェイの森』の直子や、直子の姉、そしてキズキの自殺がただむなしいだけのものであるならば、あれだけ多くの読者を引きつけるはずはありません。村上春樹は、直子をはじめとする理由なき死を選んだ者たちの最後の瞬間に、「どうか私たちのそばを素通りして、私たちの幸福を赦してください」というムイシュキンの言葉にも似た言葉の響きを、聞きとらせようとしたのです。

しかし、この世から去って行った者は、結局そのことを誰にもつたえることができませんでした。にもかかわらず、それを聞きとめようと、耳を澄ます者たちが存在するということ、そのことを、村上春樹は『ノルウェイの森』の続編ともいうべきまったく新しい小説に書きとめていくのではないでしょうか。

松山愼介の丹念な批評の言葉は、村上春樹だけでなく、大江健三郎、井上光晴という作家たちのなかに秘められたそれぞれに宿命的な不幸の意識を跡づけていくのですが、その追跡の筆致にふれるにつけ、そんなことを考えさせられるのです。

III

大澤真幸・ジジェク・アガンベン・カツェネルソン

コロナ禍のなかでいかに生きるか

「触れてはいけない」という言葉

先に私は「『還って来た者』の言葉」（本書所収）という文章のなかで、親鸞の「悪人正機説」にふれながら、「善人なおもて往生をとぐ、いわんや悪人をや」という言葉は、一度浄土に往ってから、こちらへ還って来た者の言葉だといったことがあります。

吉本隆明は、これを往相と還相（げんそう）というわけですが、どういうことかというと、「往き」の時には、道端に病気や貧困で困窮している人がいても、自分のなすべきことをするために歩みを進めればいい、そのためには、どのような倫理性も無効になるまで宗教的な行を積み重ねてゆく。しかしそれを終えての「還り」には、どんな種類の問題でも、すべてを包括して処理して生きなければならない、ということにほかなりません。

これを親鸞に即していうと、南無阿弥陀仏をひたすら唱えることによって、弥陀の本願にあずかろうとすること、その時には、わが身がいかに往生できるかということが最大の関心ごとであって、道端に病気や貧困で困窮している人がいても、なにもすることができない、しかし、いったん往生が確信されたならば、病気や貧困で困窮している人々だけでなく、いわれない差別を受け、虐げられている人々、さらには人を差別し、虐げることに何の痛みも感じることのない人々までも、いかにすれば往生できるかに心を砕かずにいられなくなる、ということになります。

そこから、「善人なおもて往生をとぐ、いわんや悪人をや」という言葉が発せられたといえるのですが、注意したいのは、往相においては、自分の往生だけに心が向いていたにもかかわらず、還相においては、どのような人間にもひとしく往生はやってくるということを心から念じなければならないということです。なぜそれができるのかといえば、誰よりも真摯に念仏を唱え、弥陀の本願にあずかったからではなく、自分の往生だけをひたすら念じていたからなのです。つまり、弥陀の本願にあずかり、浄土に参った自分は、自己救済ということにかけては、誰にも引けを取っていないにもかかわらず、他者救済ということについては、まったくの無力だったということに気づくからなのです。

ですから、還って来た時には、無一物の存在として、病気や貧困で困窮している人々、それだけでなく、いわれない差別を受け、虐げられている人々、さらには人を差別し、虐げることに何の痛みも感じることのない人々まで、どうすれば往生できるかに思いを致さずにいられないのです。

この、無力で無一物の存在が、現在のコロナ禍のなかに現れたとしたらどのような言葉を発するでしょうか。私は、それを親鸞の言葉よりもむしろ「ヨハネ福音書」のなかで復活したイエス・キリストがマグダラのマリアに向かって述べたという「私に触れてはいけない」という言葉に見出したいと思うのです。新型コロナに感染して苦しんでいる人はもちろん、さまざまな規制のために、困窮を余儀なくされている人々、それだけでなく、自分だけは感染しないという安易な幻想にとらわれて規制をかいくぐる人々、さらには、感染者を差別し、害毒を撒き散らす張本人のように忌避する人々、彼らすべてに対して、「触れてはいけない」というのではないでしょうか。

それは、もちろん禁止の言葉ですが、命令ではありません。スラヴォイ・ジジェクによれば、このイエスの言葉の奥には、「我に触れるな。愛の精神をもって他者に触れ、他者と関わりなさい」（『パンデミック』中村敦子訳）という意味が込められている、ということになります。

私たちは、コロナ禍のなかで、幾度もこの「触れてはいけない」という言葉に出会ってきました。三密を避け、おたがいの接触を回避することでしか、感染を防ぐことはできないという意味でその言葉は発せられてきました。大澤真幸によれば、人間にとって他者との接触こそが、アイデンティティの根本にほかならない。乳幼児が、鏡に映った像を自分自身と認めることができるのは、家族との接触、とりわけ母親との触れ合いを経験しているから、ということになります（「ポストコロナの神的暴力」『コロナ時代の哲学』）。

ですから、人と人との触れ合いを忌避しなければならない事態とは、アイデンティティの崩壊をもたらす事態であるということができます。それにもかかわらず、復活したイエス・キリストは「触れてはいけない」という言葉を、マグダラのマリアに向かって発した。ジジェクは、その言葉を身体的な接触を避けることによって、むしろ愛の精神によって他者と触れ合うことをもとめるものと解しました。ジジェクには、いったい、どのような思いがあったのでしょうか。

そのことについて考えるために、フロイトが『夢判断』で採りあげたある夢の記録を思い起こしてみることにしましょう。それはこんな夢でした。

父親が病児の看病をしてきたのだが、子供は息を引き取ってしまった。遺骸は棺に納められ、蠟燭にかこまれて安置されることになった。疲れ果てた父親は、二、三時間仮眠をとった。気がつくと、子供が父親のベッドの横に立って、彼の腕をつかみ、父親に呟きかけていた。「ねえ、お父さん、わからないの、ぼくが燃えているのが」。父親は驚き、目を覚ました。赤々とした光が、流れてきた。蠟燭が棺の上に倒れ落ち、子供の遺骸をつつんだ衣服と片方の腕とが焼け焦げていた。

ここで起こっているのは、どういうことなのでしょう。ラカンはそれを「現実界に火がついている」という言葉でいいます。「ねえ、お父さん、わからないの、ぼくが燃えているのが」という「この言葉は、それ自体が火の粉です。この言葉だけで、それが落ちたところには火が燃え移ります。そして何が燃えているのかはわかりません」（『精神分析の四基本概念』小出浩之・新宮一成・鈴木國文・小川豊昭訳）と。

このラカンの言葉は、イエス・キリストのゲッセマネの夜のことを思い起こさせます。私が祈りを捧げるあいだ、誰も眠ってはいけないとイエスがいったその夜、ただひとり目覚めて祈りを捧げていたイエスは、「ねえ、お父さん、解らないの、ぼくが燃えているのが」という声を聞いたのではないでしょうか。それは、イエス自身の声として自身のもっとも深い場所からやってくる声にほかなりません。それを、ラカンは火が燃え移るように、その言葉はやってきたのだといったのです。

そして、その声をたどっていくならば、ゴルゴタの丘でのイエスの言葉、十字架上で息絶える瞬間に発せられた「わが神、わが神、なぜ私をお見捨てになったのですか」という声に行きつくのです。

そのことを、ジジェクはこんなふうに述べます。「父なる神その人が、自身の全能の限界につまづくということによってしか、神は私たちを助けることができない。「人間の私が自身を神から切り離されたと経験するとき、まさにその放棄のきわみの瞬間において、私は絶対的に神に近づく」。そのとき、「人間の私」は「見捨てられたキリストと同じ位置にいるのだから」（『信じるということ』松浦俊輔訳）と。

そうであるならば、復活したイエスがマグダラのマリアに向かって述べたという「私に触れてはいけない」という言葉には、病で息を引き取った子供の「ねえ、お父さん、わからないの、ぼくが燃えているのが」という言葉が、二重写しになっているということ、そして、その言葉のさらに奥に、「お父さん、どうしてぼくを見捨ててしまうの」という言葉が映し出されているといえます。

つまりどういうことかというならば、父なる神は、愛する子であるイエスを救うことができなかった、それほどまでに無力な存在として、イエスの復活をもたらしたということです。同じように子なるイエスもまた、この世に還ってきて初めて発した言葉が「私に触れてはいけない」であるということによって、みずからが見捨てられた存在として、愛する者たちの前に現れたということにほかなりません。

したがってイエスの言葉は、命令でも禁止でもないのです。最も愛する者から切り離されているとき、その放棄のきわみの瞬間において、愛する者に絶対的に近づくのです。「我に触れるな。愛の精神をもって他者に触れ、他者と関わりなさい」というジジェクの言葉は、そのことをいっているといえます。

このことは、現在のコロナ禍の状況においてもっとも見過ごされているとともに、何度も噛み締めてみなければならないことです。私たちは、いたるところで、「触れてはいけない」という言葉を目にし、耳にします。それは、私たちの生存をおびやかすものからのがれるための護符であることもあれば、私たちの生存を囲いこみ、そのなかで生き延びさせるための言辞であることもあります。

しかし、接触に私たちのアイデンティティの根拠を見出した大澤真幸は、接触こそが、イエス・キリストにとってみずからを証明する根幹だったといいます。それは、彼がおこなった数々の奇蹟にあらわれているというのです。「奇蹟の中心にあるのは病気の治療のための活動である。治療のほとんどが、ただイエスが触れること、つまりイエスの身体に触れること、ただそれだけのことによって成し遂げられる」（同前）といいます。このような触れる体験があったからこそ、「触れないこと」が絶大な効果を発揮するというのです。

そういえば、イワンがアリョーシャに語る大審問官の物語（ドストエフスキー『カラマーゾフの兄弟』）のなかの、一六世紀スペイン、セビリアに現れたイエスらしき襤褸の人もまた、棺に入れられた少女に触れることによって、彼女をよみがえらせたのでした。大審問官が、それを見て、すぐにその男をイエスにちがいないと直観したのは、この「接触」が根拠だったといえます。そして、獄舎に閉じ込めたその男に対して、愛の精神などというものがどんなに虚しいものかを説き、それよりも奇跡と神秘と権威によって、民衆の満たされない思いに根拠をあたえることの重大さを訴える大審問官が、うずくまるその男との間に一定の距離を取り続けていたことを思い起こしてみましょう。

その大審問官の九〇年の星霜を経たと思われる唇に接吻することによって、みずからのこたえを示したイエスらしき襤褸の人は、そのような「接触」のかたちを実践することによって、「私に触れてはいけない」という言葉に、内実をあたえたのだといえます。

「死」をもたらす生権力と生政治

このことに関して、ジジェクが、ジョルジュ・アガンベンの言葉に対して厳しい批判を向けたことを思い起こさずにいられません。

アガンベンは、政府によって取られた例外的な緊急措置が「悲しいのは、この措置によって人間関係の零落が生み出されるということである。それが誰であろうと、大切な人であろうとも、その人に近づいても触ってもならず、その人と私たちとのあいだには距離を置かなければならない」(『感染』高桑和巳訳）というのですが、ジジェクは、そのような物言いの根には、政府の取った例外的な緊急措置を、根本的な自由の制限とみなし、「社会統制の権力行使と露骨な人種差別の諸要素の混成」とみなそうとする「多くの左派がとる立場の極端な形式」（「監視と処罰ですか？　いいですねー、お願いしまーす！」松本潤一郎訳）がみとめられるといって批判します。

ジジェクの癇にさわったのは、アガンベンが、「私に触れてはいけない」というイエスの言葉の意味をまったく解していないということでした。緊急措置のなかに社会統制の権力行使を読み取るだけではなく、最も大切な人に近づいても触ってもならず、その人と私たちとのあいだには距離を置かなければならないという事態にあってこそ、私たちは、最も大切な人に絶対的に近づくのだということを、アガンベンはどう思っているのだろうかとジジェクは、いおうとしたのです。

しかし私には、アガンベンの言葉には多くの左派がとる極端な立場の形式に収まり切れないものがあるように思えるのです。アガンベンは、むしろ、「私に触れてはいけない」というイエスの言葉には、「人間関係の零落」を決してもたらすことのないなにか、ジジェクの言葉でいえば、最も大切な人との愛の精神による触れ合いを示唆するものがあるにもかかわらず、政府の取った例外的な緊急措置には、社会統制の権力行使と露骨な人種差別しか認められないといっているのではないでしょうか。

そう思われるのは、アガンベンこそが、例外状況や例外的な権力の本質を告発することによって、最も大切な人との愛の精神による触れ合いが損なわれてきたことを訴えてきたからです。忘れることができないのは、「ブーヘンヴァルトからダッハウ収容所へ」と副題された本（『人類』）のなかで、ロベール・アンテルムが強制収容所体験の挿話として記した出来事です。囚人たちをダッハウへと移送するために行軍していたとき、足手まといになりそうな者たちを次々に選んで銃殺していたSSの隊員たちに指名されたボローニャのユダヤ人の大学生が、指名を受けたのがほかでもなく自分であることに気がついたとき「彼の顔がバラ色になった」というのでした。

アガンベンは、この挿話についてふれながら、「行軍中に死んだ名もないボローニャの大学生の赤面を忘れることはむずかしい」と述べ、「どう見ても、かれは、死ななければならないことを、恥じている。殺されるのに、ほかの者ではなく自分がでたらめに選ばれたことを恥じている」と述べるのです。そして、「他人の代わりに死ぬ」という言葉がもつ唯一の意味とは、と問いかけてアガンベンは、次のように答えます。

「他人の代わりに死ぬ」という言葉がもつことのできる唯一の意味は、つぎのことである。すなわち、理由もなく意味もなく、すべての者が他人の代わりに死んだり、生きたりするということ。（略）だれも本当に自分自身のこととして死んだり、生き残ったりすることができない。（略）人間は死に臨んでも、その赤面、その恥ずかしさ以外のいかなる意味も自分の死に見いだすことができないということである。

（『アウシュヴィッツの残りのもの』上村忠男・廣石正和訳）

『アウシュヴィッツの残りのもの』というタイトルが示すように、アガンベンは、アウシュヴィッツに象徴される極限状況では、人は、理由もなく意味もなく、すべての者が他人の代わりに死んだり、生きたりするのであって、死に臨んで、その赤面、その恥ずかしさ以外のいかなる意味も自分の死に見いだすことができないといっているのです。このアウシュヴィッツをコロナ禍と置き換えてみてください。程度の差はあれ、誰もが、他人の代わりに死んだり、生きたりしている状況が見えてこないでしょうか。だからこそ、アガンベンは、社会統制の権力行使に通ずるようないかなる措置にも反対したのです。

人間を生きたまま死なせ、死んだまま生きさせる生政治や生権力が、現代社会を支配しているというのはフーコーの言説ですが、そこにはアウシュヴィッツの記憶が投影されていると考えたのは、アガンベンではなかったでしょうか。そして、生きたまま死に、死んだまま生きているような私たちの生を「剝き出しの生」といったのもアガンベンでした。

これをアリストテレスの、ビオスとゾーエーになぞらえて、意味のある生とただの生といった意味にだけ取るのでは、アガンベンの真意を汲んだことになりません。

フーコーが生政治や生権力をとなえるにあたって、私たちを死に至らしめるものを念頭に置いていたことは、まちがいないのです。『臨床医学の誕生』（神谷美恵子訳）のなかで、「人間が死ぬのは、彼が病気になったからではない。人間が病気になることがあるのは、根本的にいって、彼が死にうるものだからである」といったり「いまや死は、その存在自体において、病の源泉としてあらわれる。それは、生命に内在する可能性であって、しかも、生命より強く、生命を消耗させ、歪め、ついに消滅させる可能性としてあらわれる」といったりしたのは、そのことを予感していたからにほかなりません。

そして、アガンベンこそが、このフーコーのいう「死」の意味を最も深く汲み取っていたといえます。生命を消耗させ、歪め、ついに消滅させる可能性としての「死」とは、政治や権力の衣をかぶって、誰もが、他人の代わりに死んだり、生きたりしている状況を生み出すのだと、アガンベンは考えているのです。

だからこそ、コロナ禍のなかでこの生権力をあからさまにしてはならないのだというのが、アガンベンの真意ではないでしょうか。それは、新型コロナウィルスとは何者なのかということへのこたえでもあるといえます。たとえば福岡伸一は『生物と無生物のあいだ』で、ウィルスは、無機的な結晶体であるにもかかわらず細胞に寄生すると、生命体と同じように増殖する、そこには「何か」がはたらいているからではないかと考え、このことを逆の側面からいいます。生命体の要素を考えていくと、器官とか、組織とか、細胞というのが挙げられますが、それらが生命活動を引き起こしていくには、これらの要素とは別の「何か」がはたらいているにちがいない。

たとえば、必要な部品をすべて調達し、機械仕掛けのカブトムシをつくったとき、それに油を注入すれば、本物のカブトムシのように動き出すとします。しかし、これが本物のカブトムシの場合には、機械にとっての油ではない、生命体を生命体たらしめる「何か」がはたらかなければならない。そして無機物であるウィルスを増殖させ、生命体を死に至らしめるのも、これに類した別の「何か」ではないか、そう福岡伸一は考えているようにみえます。

端的にいって、それこそが「死」にほかなりません。そう考えてみると、ウィルスを増殖させる「死」とフーコーのいう生命を消滅させる「死」とはどこかでつながっているといえないでしょうか。つまり、新型コロナウィルスを動かしているのは「死」にほかならず、そうであるからこそ、

「死」を本質とする生権力や生政治には、あらがわなければならないというのが、アガンベンのいおうとするところではないかと思われるのです。

しかし、ジジェクからするならば、そういうアガンベンの見方がこのうえなくリアルであるにもかかわらず、ではその「死」とは何者なのかという視点が欠けているということになります。これは私の推測ですが、ジジェクがそう考える根拠は、ラカンの向こうにフロイトを見据えているからではないかと思うのです。つまり「死」とは、フロイトのいうタナトスにほかなりません。

攻撃欲としてのタナトスと悪

タナトスというのは、ギリシア神話に出てくる「死」を擬人化した神のことをいいます。フロイトはこれに、「死の本能」とか「死の欲動」という言葉をあたえました。「生命は、生命のない物質から誕生したといわれているが、それが真実であるとするならば、生命を消滅させて、無機的な状態をふたたび作りだそうとする欲動もまた現れたはずだ」(『精神分析入門・続』中山元訳)と。ここから、タナトスは、フーコーのいう生命を消滅させる「死」に当たることが分かります。ただ、フロイトは、フーコーのようにこの「死」が、生病死の三角形の頂点に位置して、生命を消耗させ、歪め、ついに消滅させると考えるのではなく、欲動として現れ、自己破壊へとうながすと考えています。

このようなフロイトの考えが、精神を病んだ人々と関わり合うところから生まれてきたものであることは想像に難くありません。彼らは、どういう理由でなのか、自分にとって最も忌むべき感情からのがれることができず、幾度となくその感情を反復し、そこへ回帰せずにいられません。その結果、自傷行為をくりかえし、自殺をこころみます。そこには、タナトスがはたらいているからだとフロイトは考えるのですが、しかし、それでは、なぜ彼らは反復強迫に苦しめられ、抑圧されたものへと回帰するのかがわからない。

フロイトにヒントを与えたのは、第一次世界大戦に参戦して復員した兵士たちがかかっていた重度の神経症でした。彼らの恐怖や不安、疚しさや罪障意識というのが常軌を逸したものであることにフロイトは気がついたのです。それは、「戦争」が、彼らに植え付けたものだと考えることによって、そこには、敵を攻撃せざるをえない状況に立たされた人間だけが負わされた何かがかかわっているという結論にいたります。

それをあらためてタナトスという言葉でとらえたとき、タナトスとは、自己を破壊したいという欲動だけではなく他者を攻撃し、破壊したいという欲動であることが明らかにされます。彼らの病を戦争神経症と名づけたとき、フロイトは、そのような攻撃欲が戦争によって目覚めさせられたものであると同時に、それこそが、戦争をもたらす根本的な要因にほかならないと考えたのです。

さらに、いったいこのタナトスの根には何があるのかと考えていくなかで、「人間とは、攻撃されるとせいぜい自己防衛のできるような、やさしくて、愛を求める存在ではない。人間は人間に対して狼である」(『文化のなかの不安』)と考えるにいたります。この言葉は、ホッブズの『リヴァイアサン』にも出てきますが、ホッブズからするならば、だからこそ、人間どうし契約を結び、法と国家のもたらす秩序のもとで生きていくことがもとめられるということになります。

ところが、タナトスにとらわれた人間は、もはやそのような約束事がいつ何時でも反故にされることを知ってしまった者にほかなりません。彼らは、「やさしくて、愛を求める存在」などではなく、人を決してゆるすことができず、他人よりも優位に立つことに無上のよろこびを見出す存在にほかなりません。タナトスが、彼らにそのような感情を植え付けるのか、そのような感情がタナトスを呼び込むのか、いずれにしろ、彼らは、あらゆる点において優位獲得競争に走らざるをえません。

フロイトは、そのような存在に対して「悪」の烙印を押します。「悪は、自我に有害な、もしくは危険なものではまったくなくて、それどころか、自我にとって望ましいもの、つまりは自我に快楽を与えるものでさえもある」(同前)。人間は「悪」という、存在そのものにしみついたエートスからのがれることができないがゆえに、「罪障意識」や「良心のやましさ」からのがれることができない、それだけではなく、そういうものを一顧だにせず優位獲得競争に走らざるをえない、人を決してゆるすことができず、他人よりも優位に立つことに無上のよろこびを見出さずにいられない、帝国主義戦争も、戦後の冷戦体制も、ベルリンの壁崩壊後の世界的な内戦も、二一世紀のグローバル資本主義も、人間の攻撃欲と優位を求める欲望に由来するといっても過言ではありません。

このように考えてみるならば、フーコーのいう生権力や生政治が、私たちを死んだまま生きさせ、生きたまま死なせるのは、それがタナトスによって成り立っているからということができます。生病死の三角形の頂点に立つ「死」が生命を消耗させ、歪め、ついに消滅させるのも、私たちがタナトスからのがれることができないからにほかなりません。

アガンベンは、そのように生政治や生権力をとらえているのだろうか、いうならば、「死」とは、人間のなかの優位に立ちたいという欲望からやってくるものであって、現在のパンデミックが、そういう欲望がもたらしたさまざまな事態と無縁であるはずはないということを考えているのだろうかというのが、ジジェクのいわんとするところなのです。

ジジェクの言い分には、十分根拠があるといっていいでしょう。生権力や生政治、そして死の三角形について語ったフーコーが、「死」を、一望監視方式（パノプティコン）における「監視人」の位置にあって、囚人たちに自己規律を課す存在と考えていたことはまちがいありません。にもかかわらず、なぜ、囚人たちは「監視人」の視線を意識せずにはいられないのかということについては、説明されることはなかったのです。しかし、フロイトやラカンによってみるならば、「監視人」は「悪」から生み出されたものだからといえます。人間の攻撃欲と優位を求める欲望が「監視人」を生み出したので、だからこそ、囚人たちは自己規律を課さずにいられなかったのだといえるのです。

だが、生権力や生政治の根源にアウシュヴィッツの極限状況を見出したアガンベンは、それが「悪」によって成り立っていることを直観しなかったでしょうか。だからこそ、アウシュヴィッツにおいて最も虐げられた人々について語らずにいられなかったのです。

彼らは、礼拝に際してひざまずき、手をバタンバタンとするイスラム教徒のような動作しかすることができなくなったため、その俗称であるムーゼルマンの名で呼ばれたといいます。「歩く死体」であり「生けるしかばね」であり「顔のない存在」であるこのムーゼルマンについて、アガンベンは、「人間と非‐人間のあいだの閾の存在を指し示しているのである」と述べたうえで、次のようにいいます。

アウシュヴィッツでは、人が死んだのではなく、死体が生産されたのである。その死亡が流れ作業による生産にまで貶められた、死のない死体、非‐人間、一つの可能な、また一般に流布している解釈によれば、この死の零落こそが、アウシュヴィッツに特有の凌辱、その恐怖に特有の名であるということになる。（同前）

この「凌辱」をもたらしたものこそが、「悪」という、存在そのものにしみついたエートスではないでしょうか。フロイトが、そこに攻撃欲と優位を求める欲望を読み取ったのは、第一次世界大戦に参戦した兵士たちの重度の神経症からでした。つまり、「悪」とは、世界戦争の記憶から現れてきたものといえるのです。そして、アウシュヴィッツをもたらしたナチスが、第一次世界大戦において決定的な劣位を刻印されたドイツ国家から台頭してきたものであり、ヒトラーがそういう劣位を刻印された存在の憎悪や怨望や屈辱から自由でなかったことは明らかなのです。

ムーゼルマンについて語ってやまない、アガンベンが、このことに気づいていないはずはありません。だからこそ、アウシュヴィッツのよみがえりともいうべき生権力や生政治が、「歩く死体」であり「生けるしかばね」であり「顔のない存在」をもたらさないとは限らないと考えたのです。

そう考えてみるならば、アガンベンがコロナ禍において、あれほどまでに規制という名の統制に警鐘を鳴らした理由がより明らかになってきます。たとえ、新型コロナウィルスがタナトスによってあらわれ、次々に感染を拡大させていくとしても、権力によって統制することだけはしてはならない、それをすることは、コロナ患者をムーゼルマンと同様の「歩く死体」に変えていくことだからである、彼らを「生けるしかばね」に変え、「顔のない存在」に変えていくのは、新型コロナウィルスに名を借りた「死」の権力であり、「死」の政治であるというのが、アガンベンのいおうとするところなのです。

そういうアガンベンのなかには、このムーゼルマンだけでなく、古代ローマ法の中に見出される、人間の特殊なカテゴリーとしての「ホモ・サケル」――その人物を殺しても罰せられない、その人物を供犠に用いることができない、そういう存在に表象されている受動的な生に、公共性の空間を開く重要な鍵があるという考えをみとめることができます。それは、アレントが、古代ギリシアのポリスを引き合いに出しながら、真のパブリックとは、オイコスのなかで奪われた生を強いられた存在をどのように容れることができるかという問いのなかから現れてくると考えたところに通じています。

脅威の他者とどう向き合うのか

とはいえ、復活したイエスの「私に触れてはいけない」という言葉をもう一度省みてみるならば、規制という名の統制が、生権力に向かうのではなく、このイエスの言葉に向かおうとする場合があるのではないかという思いも拭い去ることができません。アガンベンが、ムーゼルマンやホモ・サケルをどのようにすれば容れることができるかを考えたとしても、彼らを存在せしめるナチスや古代ローマ法とどのように公共空間を形成することができるのかという問いは、そこからは見えてこないからです。

これに対して、ジジェクが、「愛の精神」といったときには、そのような脅威の他者とどのようにかかわるのかという問いがこめられているといえます。脅威の他者とは、ナチスだけではありません。人をゆるすことができず、自分が劣位にあることに耐えられない、それがゆえに他者への攻撃欲から決して自由になることのできない「悪」の者に対して、どう向き合うのか。この問いをくりこむことができてこそ、「触ってはいけない」という言葉が、たとえ規制の名で発せられたとしても、それ以上の何かをもたらすにちがいない、ジジェクはそういいたかったのではないでしょうか。

たとえば親鸞ならば、「善人なおもて往生をとぐ、いわんや悪人をや」という言葉によって、このような「悪」の者、もっといえば脅威の他者とどう向き合うかという問いに答えをあたえたといえます。浄土に往って還って来た者は、病気や貧困で困窮している人々、いわれない差別を受け、虐げられている人々がどうすれば往生できるかに思いを致さずにいられないだけではなく、自分の欲望のためには、人を差別し、虐げることに何の痛みも感じることのない人々の往生にまで思いを致さずにいられないのです。

それは、一度浄土に往った者は、自己救済ということにかけては、比べもののない存在であるにもかかわらず、他者救済については全くの無力であり、無一物であるからでした。それについては、イエスもまた同様といえます。イエスがマグダラのマリアに対して「私に触れてはいけない」といった時、父である神に見捨てられた者として、全能なる神の無力とともにある存在としてそのような言葉を吐いたからです。

ですから、「私に触れてはいけない」というイエスの言葉は、他者への攻撃欲から決して自由になることのできない「悪」の者とどのように向かい合えるのかという問いと対になって発せられているということができます。それに対するイエスのこたえが、「隣人を自分のように愛しなさい」とか「敵を愛しなさい」とか「右の頬を打たれたら、左の頬を出しなさい」という言葉であることはいうまでもありません。それが脅威の他者とどのように公共空間をこしらえるのかというたぐいの問いであることを察したラカンは、「私は私の隣人を自分自身のように愛することに尻込みします。というのは、そのことの果てには何か耐えられない残酷さのようなものがあるからです」（『精神分析の倫理』小出浩之訳）とこたえました。

いったいラカンのいう「何か耐えられない残酷さ」とは何でしょうか。人間はついに、「悪」の者や脅威の他者とのあいだに公共空間をこしらえることができないという思いをあらわしているのでしょうか。

もしそうであるとするならば、ムーゼルマンやホモ・サケルをどのようにすれば容れることができるかというアガンベンの問いのさらに向こうまでいくことはかなわないことになります。私たちにできるのは、生権力や生政治を批判するとともに、それらによって犠牲になった存在へと向き合うほかになすすべがないということになります。

しかし、たとえばベンヤミンならば、国家や権力の根底に神話的暴力を見い出すことによって、これを覆すような力を神的暴力と名づけました。重要なのは、この力が「生と死と死後の生とをつらぬいて人間のなかに存在する生命」をかきたてる暴力であり、純粋で直接的な暴力であるということです。この神的暴力は、人間に対して罪からの「贖い」を求めるのではなく、罪そのものを取り去ろうとします（『暴力批判論』野村修訳）。そして、生命の根源に根ざした純粋な暴力としての神的暴力が、罪そのものを取り去るのは、「罪あるもののあがないのためにいけにえとして死んでいく」（『ゲーテ　親和力』高木久雄訳）存在のうちに、その力が体現されるときにほかなりません。

このような物言いのなかには、まちがいなく十字架上のイエスが示唆されているといえます。全人類の罪を背負って十字架に架けられ、やがて神の子として復活したイエスではなく、「わが神、わが神、なぜ私をお見捨てになったのですか」という言葉を残して、むなしく息絶えていったイエス。そして、そのことによって父なる神の無力に出会ったイエスこそが、還って来た者として「私に触れてはいけない」という言葉を発したのです。

そのイエスが、あらためてガリラヤへとおもむくことによって人々に「隣人を自分のように愛しなさい」とか「敵を愛しなさい」とか「右の頬を打たれたら、左の頬を出しなさい」と語らなかったとはいえません。イエスの言葉が、キルケゴールのいう「反復」ということを根底からはらんでいるとするならば、それは、還って来た者の言葉だからなのです。「私に触れてはいけない」というイエスの言葉の奥には、「我に触れるな。愛の精神をもって他者に触れ、他者と関わりなさい」という意味が込められているとジジェクがいうのは、そのことなのです。

負け損をする人々への配慮

負けていく者に対する配慮

東日本大震災から七年目の三月一一日、テレビでは様々な特集番組が流されていました。仕事をしながら、番組のなかで話している被災者たちの体験や、いまでも残る不安・恐怖に耳を傾けていたのですが、七年たってもなお消えない後悔の念というのが、強く心に残りました。

なぜ自分が生き残って、大切な家族が帰らぬ人になったのか、自分が運良く助かったあいだに、何人もの人が津波に流されていかなければならなかったのはなぜなのかという思いといっていいでしょうか。

そのなかの一人で、もう中年に差し掛かる男性が、家族と家を失い、いまだに立ち直れないような状況にいると説明したうえで、「私たちのように負け損をしてしまう者には」という言葉を発しているのに、心を奪われました。「負ける」とか「負け犬」という言葉はできれば使いたくない言葉の一種といっていいでしょう。それなのに、この男性は、自分たちの境遇を「負け損」という言葉であらわすのです。

なぜだろうかと思って、その様子や話しぶりに注意してみると、自分が「負け損」をしているといっているのではないようなのです。自分は生き残り、家族の誰彼がこの世から消えていったということが、いまだに納得できない、死んでいった者に対して何もしてあげることができないということを「負け損」という言葉であらわしているようなのです。

「負け損」をしてしまった者に対して、自分は何もできなかったという後悔の念にさいなまれているといっていいでしょうか。

三浦雅士の『孤独の発明』を読んでいたら、こんなことが書いてありました。この世界はすべて「承認をめぐる闘争」によって成り立っている。生まれたばかりの赤ちゃんが、あれほど泣き叫ぶのも、不安や怖れからだけでなく、母親に対して承認を求めて闘争しているからだ。そして、この闘争において、母親はまずまちがいなく幼児に敗れる。どんなことをしても負けるのが母親だ。だが、人間というのは、承認をめぐる闘争をするものの、ほんとうに勝つためには、自分も含めて負けていく者に対する配慮というものを身に着けていくものだ。

そう考えるならば、「負け損」をする人間に対する後悔の念にさいなまれるとは、むしろ、人間として生き抜いているということではないでしょうか。

「投壜通信」の詩人カツェネルソン

そういう人間の一人として、ある詩人・劇作家について語ってみようと思います。

「モルグ街の殺人事件」や「黒猫」などのエドガー・アラン・ポーに「壜のなかの手記」という小説があります。嵐に遭って難破した船の乗組員が、幽霊船に吸い込まれていく話ですが、その顛末を、手記に書き残して壜につめ海上に投擲されたものが、後になって読まれることになるという形式の作品です。

それは、投壜通信などと呼ばれて、さまざまな詩や小説に登場することになります。ここしばらく、この投壜通信にかかわる本についての批評を依頼され、読みながらいろいろなことを考えさせられました。その本は、細見和之『「投壜通信」の詩人たち――〈詩の危機〉からホロコーストへ』というタイトルのもので、エドガー・ポーからパウル・ツェランまで六人の詩人について論じられています。

なかで、最も興味をかきたてられたのは、ベラルーシ生まれのユダヤ人の劇作家で詩人のイツハク・カツェネルソンについての言及でした。カツェネルソンはおもにポーランドで文学活動を行っていたのですが、ナチスの手で、ワルシャワ・ゲットーに収容されます。そこで、強制労働の合間を見て、膨大な数の詩と戯曲を書き続けます。やがて、妻と子供はアウシュヴィッツに移送され虐殺されるのですが、カツェネルソンは、膨大な原稿を隠し持ったまま、フランスのヴィッテル収容所に移されます。

自分もまた、最後はアウシュヴィッツで妻や子供と同じ運命をたどることになると予測したカツェネルソンは、それらの原稿を壜に詰め、収容所の土のなかに埋めるのです。ナチス政権崩壊後、収容所の土のなかから掘り出された壜のなかの膨大な作品は、陽の目を見ることになり、アウシュヴィッツで横死を遂げたカツェネルソンの遺志を継ぐ多くの人々に読まれていったというのです。

残念ながら、日本では、細見さんはじめ数人しかカツェネルソンの研究・紹介をしている者がいなく、ようやく最近になって注目されてきているといいます。『ワルシャワ・ゲットー詩集』、『滅ぼされたユダヤの民の歌』という二著が翻訳され出版されているといいますが、主著である「ヨブ記」を戯曲化した「ヨブ」は、現在細見さんがイディッシュ語から翻訳中といいます。

物語や小説を動かすドラマツルギー

私には、このカツェネルソンこそが、「負け損」をする人間への配慮を欠かさなかった人間であり、「承認をめぐる闘争」において真の意味で勝利を収めた詩人ではないかと思われるのです。彼が詩にとどまらず「ヨブ」という戯曲を書き残したというのは、ヨブこそが、神の試練を受け、いわば神との「承認をめぐる闘争」を行うことによって、一度は敗北を喫しながら、にもかかわらず、自分の敗北よりもさらに悲惨な「負け損」をしてきた人々への配慮を身に着けることで、復活を遂げた人間であったからです。

カツェネルソンは、そのことを後世に伝えたくて、原稿を壜に詰め、収容所の土のなかに埋めたのではないでしょうか。カツェネルソンの描いたヨブは、やがて十字架上で刑死するイエス・キリストのすがたにオーバーラップしていきます。それを可能にしたのは、この戯曲にこめられたドラマツルギーにほかなりません。それは、物語や、小説の根本をも動かすものであって、私たちが優れた小説作品に心を震わされるとき、必ずといっていいほど、ヨブの物語やイエスの物語に通ずるようなドラマツルギーをどこかで感じ取っているのです。それこそが、「負け損」をする人々への配慮から湧きあがるものではないでしょうか。

細見さんによれば、カツェネルソンの「ヨブ」において、このドラマツルギーがもっともよくあらわれているのは、妻がヨブに向かって、「いっそ、神を呪って、死ぬがいいんだわ」と吐き捨てる場面です。その妻とは、「サタン」の化身だというのです。ヨブにもイエスにも、「神を呪って死ぬがいい」と「サタン」は囁き続けました。それにもかかわらず、イエスは「人はパンだけで生きるのではなく、神の口から出る一つ一つの言葉で生きる」と語り、ヨブは、サタンの差し出した素焼きの水差しを砕いて、そのかけらで全身を掻きつづけることによって、神の試練に耐えました。

恐ろしい皮膚病で苦しむヨブの姿が、荒野で断食するイエスの裸体をも蝕んでいなかったとはかぎりません。イエスは清らかな姿で、「サタン」にあの言葉を告げたのではなく、体中が膿み爛れる姿で、「人はパンだけで生きるのではない」と「サタン」に答えたのです。そういうイメージを思い浮かべてみるとき、それこそが「負け損」をする人々への配慮にほかならないと思われてくるのです。

証言

——あとがきにかえて

三島由紀夫と東大全共闘の対話集会

しばらく前から、テレビで映画「三島由紀夫VS東大全共闘　50年目の真実」のコマーシャルが頻繁に流されていました。私は、眼にするたびに、チャンネルを変えずにいられませんでした。

一九六九年五月に東大駒場九〇〇番教室で行われた三島由紀夫と東大全共闘の対話集会が、なぜ、いまどき話題になるのか、その大教室に集まった東大全共闘という学生たちが何者なのか、そして、彼らと対話という名目のもとに、おのれの信条を述べる三島由紀夫が、本当は、何を考えていたのか、実際、その映画を見ればそのことがわかるのではないかと思われるようなコマーシャルでした。が、だからこそ、私は、何か見るべきではないものを見せられた思いをぬぐうことができなかったのです。

映画評論家の四方田犬彦が、実際にその映画を観て、痛烈なコメントを寄せていました。コマーシャルを見ただけで、忌避の思いにとらわれてしまう私には、とても映画を観る気にはなれないのですが、当時東大全共闘の一人であった者として、この集会について、少し大事な証言をしてみようと思います。

六九年一月一九日に機動隊の手で安田講堂が陥落してから、東大全共闘は、駒場の第八本館という建物に籠城しました。籠城したのは、東大全共闘でも、主にその年四年生になる教養学科闘争委員会のメンバーで、私はその一員でした。人数にしてせいぜい三〇名、あとは、外部から入ってきた過激派の学生一〇〇名ほどでした。

そこで、安田講堂以後の闘争が始まるのですが、その点については、『日本国憲法と本土決戦』の「はじめに」で、できるだけ詳しく述べています。要は、この闘争が、全共闘と民青暁部隊との過激な武装闘争だったということです。そして、全共闘の名で闘ったのは、私たち教養学科闘争委員会を盾にした全国の過激派学生、後に赤軍派、連合赤軍、日本赤軍となってさまざまな問題を引き起こした者たちであったということです。

その凄惨な戦いで、投石による負傷者が続出し、私をはじめ教養学科闘争委員会のメンバーは途中で第八本館から抜けることになりました。過激派学生たちは、最後まで闘い、残った三〇名ほどが、最終的には、民青暁部隊の前衛隊を突破して第八本館を脱出し、駒場寮に立てこもりました。

その後、駒場寮に籠城する過激派学生は、民青暁部隊にではなく、駒場の一般学生の手によって追い出されました。私は、その現場にはいなかったのですが、この時、過激派を駒場寮から追い出すために集まった駒場一般学生の数は、一〇〇名を優に超えたということです。もちろん、彼らは、東大の一年生、二年生です。

何かをせずにはいられない駒場全共闘

この、当時東大の一年生、二年生だった者たちのなかで、一般学生ではなく、全共闘に属していた者たちが、その年の五月一三日に行われた三島由紀夫との対話集会に参加していたのではないかと私は見ています。私の推測では、過激派を駒場寮から追い出した一般学生もまた、その中にいた。理由は、極左の過激派を身体を張って追い出した一般学生は、どちらかというと三島の思想に共鳴するところがあったからです。それと、一、二年生の駒場全共闘の学生は、安田講堂の攻防戦にも、第八本館の武装闘争にも加わっていないため、三島由紀夫と対話をするということに、違和感を覚えることがなかったといえます。

これは、この集会を企画したという小阪修平や芥正彦が、駒場全共闘の一員として、安田講堂や第八本館陥落後の東大駒場を仕切っていたことからも推測されます。要するに、小阪や芥という駒場全共闘の面々には、まだまだ余力があり、何かをせずにはいられないところがあったということです。しかし、私を含めて安田講堂や第八本館で闘った全共闘の学生は、『日本国憲法と本土決戦』の「はじめに」に書いたように、敗北感にさいなまれ、大学の構内に足を運ぶことなどできる状況ではありませんでした。

具体的なことを書くと、私をはじめ、六九年一月の闘争で傷ついた者たちは、主に四月には卒業を控えていた四年生でした。それに対して、小阪や芥たちは、まだ駒場の二年生（留年していた可能性もある）で、この学年や年齢の差は、たった一年でもその時の全共闘体験に大きな相違を植えつけているはずです。私などは、民青暁部隊に白旗を挙げ、第八本館から抜け出たのですが、そのあと、そこで知り合った過激派の何人かから連日のオルグに会い、救急車で運ばれて、最終的には郷里に引きこもることになりました。

三島由紀夫との対話集会が開かれたその年の五月、私は、郷里で虚脱状態のようになっていました。脳裏に去来するのは、一緒に闘った者たちがその後どうなったかということでした。皆それぞれ、重傷を負ったり、失踪したり、行方不明になったりと惨憺たる状態でした。三島由紀夫との対話集会どころではなかったのです。同じように、後に赤軍派、連合赤軍、日本赤軍となる過激派学生たちも、闘争手段を練り上げることに忙しく、つい何か月か前に立て籠もった東大駒場で、三島由紀夫との対話集会が開かれていることに関心を持つはずはなかったでしょう。

そういうわけで、この集会が、今頃映画となり話題とされるようなことがあっても、当時の状況とは、なんら関係するものではないと思われてなりません。実際映画のコメンテーターとして登場する橋爪大三郎は、六九年一月の闘争時、駒場の二年生、内田樹は、その年の東大入試中止のため、次の年の七〇年に東大に入学しているので、事の次第についてはまったく部外者であり、『1968』を著した小熊英二にいたっては、駒場第八本館闘争という重大な局面について一言も触れていないということで、この集会に言及する資格があるのかどうか疑わしい限りです。

このところ、新型コロナウィルスの話題に追いやられたのか、この映画が大きく取り上げられることはないようです。しかし、私にとって六九年の体験は、悲惨さという点で、新型コロナウィルスの感染にも値します。それは、その後の人生を決定づけるようなものとして、いまでも自分のなかに刻印されています。三島由紀夫との集会などでうやむやにされてはならないものです。

覚　書

これは、師と仰ぐ吉本隆明と畏友として敬する加藤典洋の死がきっかけとなってできた本です。二〇一二年に逝去した吉本隆明を偲ぶ会が、「横超忌」というの名のもとに開かれてきたのですが、その第七回に『甦えるヴェイユ』について、コロナ禍のために中止となった第八回の代替となるような会で『最後の親鸞』について述べさせていただきました。

また、二〇一九年に逝去した加藤典洋については、故人の遺志から追悼の会などはすべて謝絶ということになったため、『9条入門』についての研究会が開かれることになりました。その会で述べたこと、さらに日を追ってインタビューを受けた際に述べたことが、この本の主要な内容となっています。

コロナ問題については、宗近真一郎「『普遍理性』の二分法の危地と『コロナ問題』」（「アジア太平洋レビュー17」大阪経済法科大学）、大澤真幸『自由という牢獄』（岩波書店）について開かれた研究会で考えたことがもとになっています。吉本さん、加藤さんには、直接謝意を述べることができませんが、宗近さん、大澤さんには、多くの示唆を受けたことにこの場を借りて感謝したいと思います。

私の書くものは、総じて難解といわれてきました。それは思考が高度なのではなく、自分でもまだ思考を整理しきれていないからではないかと思います。そのこともあって、今回、話した内容については、幾度も練り直し、あらためて書き下ろすことによって思考の整理を行いました。書いた内容についても、同じことを試み、できるだけ話しているような文章に書き換えていきました。全篇をです・ます調に統一したのはそのためです。

文芸批評を始めて、今年で四〇年目になります。そういう節目の年に、私を文芸批評の世界に導いてくださった吉本隆明と文芸批評家としてライバルであり続けてくださった加藤典洋についての評論集を出版することができたのには、感慨深いものがあります。コロナ問題についても、もし吉本さんが生きていたらどう考えるだろう、もし加藤さんが元気だったらどんな言葉を発するだろうという思いがありました。この本が、その思いにこたえるものであってほしいと思います。

最後になりましたが、「飢餓陣営」の佐藤幹夫、「路上」の佐藤通雅、「現代詩手帖」の高木真史、「樹林」の葉山郁生、「而シテ」の寺田操、「図書新聞」の村田優、「午前」の布川鴇、「現代短歌」の真野少、「オイシックス・ラ・大地」の藤田和芳、響文社の高橋哲雄、幻戯書房の名嘉真春紀の各氏に感謝の言葉を述べたいと思います。これらの諸氏は、私の数少ない理解者であり、彼らと出会うことによって私の思考がかたちをとってきたことに今回、あらためて気づかされたからです。
孔子の言葉に、「朝(あした)に道を知らば夕べに死すとも可なり」というのがあります。四〇年の歳月を経ても、いまだに「道」とは何かにこたえを見出すことができませんが、それだけに、まだここで倒れるわけにはいかないという思いを強くします。「いまだ生を知らず、いずくんぞ死を知らんや」という孔子の言葉をかみしめながら、この先へと歩んでいこうと思っています。

二〇二一年六月一六日　埼玉の寓居にて

神山睦美

初出一覧

はじめに　書き下ろし

Ⅰ　吉本隆明・親鸞・西行・ヴェイユ

死を普遍的に歌うということ――吉本隆明と立原道造
　書き下ろし（詩誌「午前」主催講演会　二〇一九年一二月一日）
なぜ「極悪人」に「救い」があるのか――吉本隆明『最後の親鸞』を読みながら　「飢餓陣営」五三号　二〇二一年七月（アジア農民元気大学主催講演会　二〇二〇年一二月一二日）
「還ってきた者」の言葉――吉本隆明『最後の親鸞』「現代詩手帖」二〇二〇年七月号
パラドックスとしての「共生」「現代詩手帖」二〇二〇年一二月号
竹の葉先の微かな震え　電子ブック「IRUMA」二〇二〇年七月一五日　国立ゲニウス協会
西行の歌の心とは何か――工藤正廣『郷愁　みちのくの西行』「図書新聞」二〇二〇年七月四日
なぜいま絶対非戦論が問題とされなければならないのか――吉本隆明『甦えるヴェイユ』について「路上」144～145号二〇一九年七月～一一月（「第七回横超忌――吉本隆明を偲ぶ会」二〇一九年三月二八日）

Ⅱ　加藤典洋・村上春樹

「ただの戦争放棄」と「特別な戦争放棄」――加藤典洋の戦後観と『9条入門』「飢餓陣営」五〇号　二〇一九年一二月（「神山睦美主催書評研究会」二〇一九年九月一四日）

証言――あとがきに代えて　書き下ろし

内面の表象から欲望の肯定へ――加藤典洋の村上春樹評価をめぐって　「飢餓陣営」五〇号　二〇一九年一二月（「佐藤幹夫によるインタビュー」　二〇一九年一〇月二三日）

村上春樹の物語の後に　「而シテ」18号　一九八七年一〇月

回生の言葉――江田浩司『重吉』　「現代短歌」76号　二〇二〇年一月

理由なき死――松山愼介評論集　松山愼介評論集『「現在」に挑む文学――村上春樹・大江健三郎・井上光晴』（響文社）解説　二〇一七年一月

Ⅲ　大澤真幸・ジジェク・アガンベン・カツェネルソン

コロナ禍のなかでいかに生きるか　書き下ろし

負け損をする人々への配慮　「樹林」647号　二〇一八年一二月

参照文献一覧

はじめに

梅原猛『さまよえる歌集』集英社　一九八二年

藤井貞和『非戦へ　物語平和論』編集室水平線　二〇一八年

ジジェク『パンデミック』中村敦子訳　紀伊国屋書店　二〇二一年

大澤真幸「ポストコロナの神的暴力」（『コロナ時代の哲学』）左右社　二〇二〇年

「ヨハネによる福音書」聖書協会共同訳（『聖書』）日本聖書協会　二〇一八年

カミュ『ペスト』宮崎嶺雄訳　カミュ全集4　新潮社　一九七二年

中条省平『アルベール・カミュ　ペスト　生存をおびやかす不条理』NHK出版　二〇一八年

来住野恵子　私信　二〇二〇年

Ⅰ　吉本隆明・親鸞・西行・ヴェイユ

死を普遍的に歌うということ——吉本隆明と立原道造

吉本隆明「丸山眞男論」吉本隆明全集7　晶文社　二〇一四年

吉本隆明「四季派の本質」吉本隆明全集5　晶文社　二〇一四年

吉本隆明「転向論」吉本隆明全集5　晶文社　二〇一四年

吉本隆明「覚書Ⅰ」吉本隆明全集2　晶文社　二〇一六年

小林秀雄「疑惑Ⅱ」小林秀雄全作品12　新潮社　二〇〇三年

中原中也『新編中原中也全集』第1巻　角川書店　二〇〇〇年

立原道造「萱草に寄す」立原道造全集第三巻　角川書

店　一九五一年

なぜ「極悪人」に「救い」があるのか――吉本隆明『最後の親鸞』を読みながら

吉本隆明『最後の親鸞』吉本隆明全集15　晶文社　二〇一八年
四方田犬彦「吉本隆明と〈解体〉の意志」(『親鸞への接近』)工作舎　二〇一八年
神山睦美「はじめに」(『日本国憲法と本土決戦』)幻戯書房　二〇一八年
吉本隆明「覚書Ⅰ」吉本隆明全集2　晶文社　二〇一六年
吉本隆明「自己とはなにか――キルケゴールに関連して」(『〈信〉の構造2　キリスト教論集成』)春秋社　二〇〇四年
唯円『歎異抄』(『日本の思想3　親鸞集』)筑摩書房　一九六八年
法然『選択本願念仏集』日本思想体系10　岩波書店　一九七一年
親鸞『教行信証』日本思想体系11　岩波書店　一九七一年
小林秀雄『無常といふ事』小林秀雄全作品14　新潮社　二〇〇三年
芥川龍之介「羅生門」芥川龍之介全集第1巻　岩波書店　一九七七年
折口信夫「古代研究(国文学篇)」折口信夫全集第一巻　中央公論社　一九六五年
アレント『人間の条件』志水速雄訳　ちくま学芸文庫　一九九四年
アガンベン『アウシュヴィッツの残りのもの――アルシーヴと証人』上村忠男・廣石正和訳　月曜社　二〇〇一年
アガンベン『ホモ・サケル　主権権力と剝き出しの生』高桑和巳訳　以文社　二〇〇七年
宮城賢『病後の風信』弓立社　一九八二年
神山睦美・米沢慧『ファミリィ・トライアングル　高齢化社会を超えて』春秋社　一九九五年
老子『老子』小川環樹訳　世界の名著4　中央公論社　一九六八年
吉本隆明「マチウ書試論」吉本隆明全集4　晶文社

二〇一四年
吉本隆明『尊師麻原は我が弟子にあらず――オウム・サリン事件の深層をえぐる』徳間書店　一九九五年
松崎健一郎『親鸞像』砂子屋書房　一九九五年
吉本隆明『「反核」異論』深夜叢書社　一九八三年
吉本隆明『「反原発」異論』論創社　二〇一五年
小林秀雄・湯川秀樹「人間の進歩について」小林秀雄全作品16　新潮社　二〇〇四年

「還ってきた者」の言葉――吉本隆明『最後の親鸞』

夏目漱石「人生」漱石全集第十六巻　岩波書店　一九九五年
吉本隆明『最後の親鸞』吉本隆明全集15　晶文社　二〇一八年
唯円『歎異抄』(『日本の思想3　親鸞集』)筑摩書房　一九六八年
親鸞『教行信証』日本思想体系11　岩波書店　一九七一年
吉本隆明『尊師麻原は我が弟子にあらず――オウム・サリン事件の深層をえぐる』徳間書店　一九九五年
松崎健一郎『親鸞像』砂子屋書房　一九九五年

パラドックスとしての「共生」

神山睦美『終わりなき漱石』幻戯書房　二〇一九年
宗近真一郎『柄谷行人〈世界同時革命のエチカ〉』論創社　二〇一九年
柄谷行人『日本近代文学の起源』定本柄谷行人集1　岩波書店　二〇〇四年
柄谷行人『近代文学の終わり』インスクリプト　二〇〇五年
北村透谷「各人心宮内の秘宮」透谷全集第二巻　岩波書店　一九六九年
北村透谷「内部生命論」透谷全集第二巻　岩波書店　一九六九年
宗近真一郎『詩は戦っている、誰もそれを知らない。』書肆山田　二〇二〇年
佐々木幹郎『鏡の上を走りながら』思潮社　二〇一九年
上原専禄『死者・生者――日蓮認識への発想と視点』未來社　一九七四年

日蓮「可延定業御書」日本思想体系14　岩波書店　一九七〇年
北明哲＋佐藤幹夫「吉本隆明の『戦争と戦後』、橋爪大三郎の解く皇国思想」「飢餓陣営」51　二〇二〇年
神山睦美『小林秀雄の昭和』思潮社　二〇一〇年
アレント『人間の条件』志水速雄訳　ちくま学芸文庫　一九九四年
添田馨『ゴースト・ポエティカ――添田馨幽霊詩論集』響文社　二〇二〇年
カミュ『ペスト』宮崎嶺雄訳　カミュ全集4　新潮社　一九七二年
カミュ『異邦人』窪田啓作訳　カミュ全集2　新潮社　一九七二年
杉本真維子『三日間の石』響文社　二〇二〇年

竹の葉先の微かな震え

唯円『歎異抄』（『日本の思想3　親鸞集』）筑摩書房一九六八年
「ヨブ記」聖書協会共同訳（『聖書』）日本聖書協会二〇一八年
ベルイマン「処女の泉」（DVD）キングレコード二〇一四年

西行の歌の心とは何か――工藤正廣『郷愁　みちのくの西行』

工藤正廣『郷愁　みちのくの西行』未知谷　二〇二〇年
小林秀雄『無常という事』小林秀雄全作品14　新潮社二〇〇三年
小林秀雄『本居宣長』小林秀雄全作品27〜28　新潮社二〇〇四年

なぜいま絶対非戦論が問題とされなければならないのか――吉本隆明『甦えるヴェイユ』について

吉本隆明『甦えるヴェイユ』吉本隆明全集25　晶文社二〇二一年
ボーヴォワール『第二の性』生島遼一訳　ボーヴォワール著作集67　新潮社　一九八一年
ヴェイユ『工場日記』田辺保訳　ちくま学芸文庫　二〇一四年

ヴェイユ『重力と恩寵』冨原眞弓訳　岩波文庫　二〇一七年

ヴェイユ『神を待ちのぞむ』渡辺秀訳　春秋社　二〇〇九年

川口好美「不幸と共存――シモーヌ・ヴェイユ試論」「群像」二〇一六年一二月号　講談社

大澤真幸「第六〇回　群像新人評論賞選評」「群像」二〇一六年一二月号　講談社

「マタイによる福音書」聖書協会共同訳（『聖書』）日本聖書協会　二〇一八年

ベンヤミン「歴史の概念について」鹿島徹訳（『[新訳・評注]歴史の概念について』）未來社　二〇一五年

ルクセンブルク『ロシア革命論』伊藤成彦・丸山敬一訳　論創社　一九八五年

ルクセンブルク『獄中からの手紙』秋元寿恵夫訳　岩波文庫　一九九九年

高橋哲哉「国家の暴力　戦争・死刑・人権」（講演）二〇〇五年

高橋哲哉「赦しと約束　アーレントの〈活動〉をめぐって」「哲学」四九号　岩波書店　一九九八年

アーレント『エルサレムのアイヒマン――悪の陳腐さについての報告　新版』大久保和郎訳　みすず書房　二〇一七年

アレント『人間の条件』志水速雄訳　ちくま学芸文庫　一九九四年

トロッタ『ハンナ・アーレント』（Blu-ray）ポニーキャニオン　二〇一四年

親鸞『教行信証』日本思想体系11　岩波書店　一九七一年

吉本隆明『わが「転向」』文春文庫　一九九七年

吉本隆明、加藤典洋、竹田青嗣、橋爪大三郎「半世紀後の憲法」（加藤典洋『対談――戦後・文学・現在』）而立書房　二〇一七年

吉本隆明『尊師麻原は我が弟子にあらず――オウム・サリン事件の深層をえぐる』徳間書店　一九九五年

II　加藤典洋・村上春樹

「ただの戦争放棄」と「特別な戦争放棄」――加藤典洋の戦後観と『9条入門』

神山睦美『日本国憲法と本土決戦』幻戯書房　二〇一八年
神山睦美『小林秀雄の昭和』思潮社　二〇一〇年
加藤典洋『9条入門』創元社　二〇一九年
柄谷行人『憲法の無意識』岩波新書　二〇一六年
加藤典洋『敗戦後論』講談社　一九九七年
太宰治「冬の花火」定本太宰治全集第八巻　筑摩書房　一九六二年
小林秀雄「感想」小林秀雄全作品19　新潮社　二〇〇四年
大澤真幸『自由という牢獄』岩波書店　二〇一五年
笠井潔『8・15と3・11――戦後史の死角』NHK出版新書　二〇一二年
吉本隆明「覚書Ⅰ」吉本隆明全集2　晶文社　二〇一六年
小林秀雄「疑惑Ⅱ」小林秀雄全作品12　新潮社　二〇〇三年
柄谷行人『トランスクリティーク――カントとマルクス』批評空間　二〇〇一年
カント『永遠平和のために』宇都宮芳明訳　岩波文庫　一九八五年
小林秀雄『ドストエフスキイ』講談社　一九七〇年
サリンジャー『ライ麦畑でつかまえて』野崎孝訳　白水社一九七三年
吉本隆明「南島論――家族・国家・親族の論理」（『全南島論』）作品社　二〇一六年
加藤典洋「戦後再見」（『アメリカの影』）河出書房新社　一九八五年
フロイト『トーテムとタブー』吉田正己訳　改訂版フロイド選集6　日本教文社　一九七〇年
フロイト『文化のなかの不安』吉田正己訳　改訂版フロイド選集6　日本教文社　一九七〇年
フロイト『終わりある分析と終わりなき分析』小此木啓吾訳　改訂版フロイド選集15　日本教文社　一九七六年
ジェームズ「戦争の道徳的等価物」今田恵訳　世界大思想全集15　河出書房　一九六五年
吉本隆明『アフリカ的段階について――史観の拡張』

春秋社　一九九八年
吉本隆明『母型論』思潮社　二〇〇四年
加藤典洋『人類が永遠に続くのではないとしたら』新潮社　二〇一四年
三木成夫『胎児の世界――人類の生命記憶』中公新書　一九八三年
「マタイによる福音書」聖書協会共同訳（『聖書』）日本聖書協会　二〇一八年

内面の表象から欲望の肯定へ――加藤典洋の村上春樹評価をめぐって

加藤典洋「言葉の蕩尽――ロートレアモン覚書」「現代の眼」13　現代評論社　一九七三年
加藤典洋『アメリカの影』河出書房新社　一九八五
加藤典洋『戦後入門』ちくま新書　二〇一五年
加藤典洋『9条入門』創元社　二〇一九年
神山睦美『クリティカル・メモリ　『死霊』異聞』砂子屋書房　一九九九年
神山睦美「村上春樹の物語の後に」「而シテ」一八号　白地社　一九八七年
加藤典洋「『世界の終り』にて」（『君と世界の戦いでは、世界に支援せよ』）筑摩書房　一九八八年
村上春樹『世界の終りとハードボイルド・ワンダーランド』新潮社　一九八五年
竹田青嗣「〈世界〉の輪郭――村上春樹、島田雅彦を中心に」（『〈世界〉の輪郭』）国文社　一九八七年
北村透谷「各人心宮内の秘宮」透谷全集第二巻　岩波書店　一九六九年
北村透谷「人生に相渉るとは何の謂ぞ」透谷全集第二巻　岩波書店　一九六九年
ドストエフスキー『白痴』木村浩訳　決定版ドストエフスキー全集9・10　新潮社　一九七八年
加藤典洋『村上春樹は、むずかしい』岩波新書　二〇一五年
加藤典洋『村上春樹の短編を英語で読む　1979〜2011』講談社　二〇一一年
村上春樹『風の歌を聴け』講談社　一九七九年
村上龍「無敵のサザンオールスターズ」（桑田佳祐『ただの歌詩じゃねえか、こんなもん』）新潮文庫　一九八四年

見田宗介『現代社会の理論　情報化・消費化社会の現在と未来』岩波新書　一九九六年
リオタール『ポスト・モダンの条件　知・社会・言語ゲーム』小林康夫訳　水声社　一九八九年
竹田青嗣『欲望論』第1巻「意味」の原理論　第2巻「価値」の原理論　講談社　二〇一七年
武者小路実篤『お目出たき人』新潮文庫　一九九九年
村上春樹『ノルウェイの森』上下　講談社　一九八八年
村上春樹『海辺のカフカ』上下　新潮社　二〇〇二年
村上春樹『色彩を持たない多崎つくると、彼の巡礼の年』文藝春秋　二〇一三年
村上春樹「中国行きのスロウ・ボート」村上春樹全作品1979~1989（3）短篇集Ⅰ　講談社　一九九〇年
村上春樹「貧乏なおばさんの話」村上春樹全作品1979~1989（3）短篇集Ⅰ　講談社　一九九〇年
村上春樹「ニューヨーク炭鉱の悲劇」村上春樹全作品1979~1989（3）短篇集Ⅰ　講談社　一九九〇年
村上春樹「パン屋襲撃」村上春樹全作品1979~1989（8）短篇集Ⅲ　講談社　一九九一年
村上春樹『1Q84』BOOK1・2　新潮社　二〇〇九年
村上春樹『騎士団長殺し』第1部　顕れるイデア編・第2部　遷ろうメタファー編　新潮社　二〇一七年
加藤典洋「再生へ　破綻と展開の予兆」（『村上春樹の世界』）講談社文芸文庫　二〇二〇年
神山睦美「千里を飛ぶ魂の悲しみ――漱石と村上春樹」（『日本国憲法と本土決戦』）幻戯書房　二〇一八年
村上春樹『国境の南、太陽の西』講談社　一九九二年
村上春樹『ねじまき鳥クロニクル』第1部　泥棒かささぎ編・第2部　予言する鳥編・第3部　鳥刺し男編　新潮社　一九九四年~一九九五年
ベンヤミン「暴力批判論」野村修訳　ベンヤミン著作集1　晶文社　一九六九年
ベンヤミン「ゲーテの『親和力』について」高木久雄訳　ベンヤミン著作集5　晶文社　一九七二年
フーコー『言葉と物』新潮社　一九七四年

フーコー『社会は防衛しなければならない コレージュ・ド・フランス講義 1975~1976年度』石田英敬・小野正嗣訳 筑摩書房 二〇〇七年

アガンベン『アウシュヴィッツの残りのもの――アルシーヴと証人』上村忠男・廣石正和訳 月曜社 二〇〇一年

二葉亭四迷『其面影』二葉亭四迷全集第三巻 岩波書店 一九八一年

夏目漱石『こころ』夏目漱石全集8 ちくま文庫 一九八八年

宮沢賢治「オホーツク挽歌」新校本宮澤賢治全集2 筑摩書房 一九九五年

夏目漱石「夢十夜」夏目漱石全集10 ちくま文庫 一九八八年

夏目漱石『坑夫』夏目漱石全集4 ちくま文庫 一九八八年

村上春樹「独立器官」(『女のいない男たち』)文藝春秋 二〇一四年

夏目漱石『道草』夏目漱石全集8 ちくま文庫 一九八八年

村上春樹の物語の後に

加藤典洋「『世界の終り』にて」(『君と世界の戦いでは、世界に支援せよ』)筑摩書房 一九八八年

村上春樹『世界の終りとハードボイルド・ワンダーランド』新潮社 一九八五年

ボードリヤール『象徴交換と死』今村仁司・塚原史訳 筑摩書房 一九八三年

竹田青嗣「〈世界〉の輪郭――村上春樹、島田雅彦を中心に」(『〈世界〉の輪郭』)国文社 一九八七年

ドストエフスキー『白痴』米川正夫訳 ドストエフスキー全集78 河出書房新社 一九七〇年

回生の言葉――江田浩司『重吉』

江田浩司『重吉』現代短歌社 二〇二一年

中原中也『新編中原中也全集』第1巻 角川書店 二〇〇〇年

八木重吉『八木重吉全集』第1巻第2巻 筑摩書房 二〇〇〇年

江藤淳「詩人の肖像」(『日本の詩歌』23)中央公論新

社　一九七九年
村上春樹『世界の終りとハードボイルド・ワンダーランド』新潮社　一九八五年
「マタイによる福音書」聖書協会共同訳（『聖書』）日本聖書協会　二〇一八年

理由なき死――松山愼介評論集

松山愼介『「現在」に挑む文学――村上春樹・大江健三郎・井上光晴』響文社　二〇一七年
村上春樹『ノルウェイの森』上下　講談社　一九八八年
村上春樹『ねじまき鳥クロニクル』第1部　泥棒かささぎ編・第2部　予言する鳥編・第3部　鳥刺し男編　新潮社　一九九四年〜一九九五年
プラトン『国家』藤沢令夫訳　プラトン全集11　岩波書店　一九七六年
太宰治「トカトントン」定本太宰治全集第八巻　筑摩書房　一九六二年
ドストエフスキー『白痴』木村浩訳　決定版ドストエフスキー全集9・10　新潮社　一九七八年

Ⅲ　大澤真幸・ジジェク・アガンベン・カツェネルソン

コロナ禍のなかでいかに生きるか

吉本隆明『最後の親鸞』吉本隆明全集15　晶文社　二〇一八年
唯円『歎異抄』（『日本の思想3　親鸞集』）筑摩書房　一九六八年
ジジェク『パンデミック』中村敦子訳　紀伊国屋書店　二〇二一年
大澤真幸「ポストコロナの神的暴力」（『コロナ時代の哲学』）左右社　二〇二〇年
「ヨハネによる福音書」聖書協会共同訳（『聖書』）日本聖書協会　二〇一八年
フロイト『夢判断』下　高橋義孝・菊森英夫訳　改訂版フロイド選集12　日本教文社一九七〇年
ラカン『精神分析の四基本概念』小出浩之・新宮一成・鈴木國文・小川豊昭訳　岩波書店　二〇〇〇年

ジジェク『信じるということ』松浦俊輔訳　産業図書　二〇〇三年
ドストエフスキー『カラマーゾフの兄弟』原卓也訳　決定版ドストエフスキー全集15・16　新潮社　一九七八年
アガンベン「感染」高桑和巳訳（『私たちはどこにいるのか？　政治としてのエピデミック』）青土社　二〇二一年
ジジェク「監視と処罰ですか？　いいですねー、お願いしまーす！」松本潤一郎訳「現代思想」二〇二〇年五月号
アンテルム『人類――ブーヘンヴァルトからダッハウ収容所へ』宇京頼三訳　未來社　一九九三年
アガンベン『アウシュヴィッツの残りのもの――アルシーヴと証人』上村忠男・廣石正和訳　月曜社　二〇〇一年
フーコー『社会は防衛しなければならない　コレージュ・ド・フランス講義　1975～1976年度』石田英敬・小野正嗣訳　筑摩書房　二〇〇七年
フーコー『臨床医学の誕生』神谷美恵子訳　みすず書房　一九六九年
福岡伸一『生物と無生物のあいだ』講談社現代新書　二〇〇七年
フロイト『人はなぜ戦争をするのか　エロスとタナトス』中山元訳　光文社古典新訳文庫　二〇〇八年
フロイト『文化のなかの不安』吉田正己訳　改訂版フロイド選集6　日本教文社　一九七〇年
ホッブズ『リヴァイアサン』水田洋・田中浩訳　世界の大思想13　河出書房新社　一九七〇年
アレント『人間の条件』志水速雄訳　ちくま学芸文庫　一九九四年
アガンベン『ホモ・サケル　主権権力と剝き出しの生』高桑和巳訳　以文社　二〇〇七年
「マタイによる福音書」聖書協会共同訳（『聖書』）日本聖書協会　二〇一八年
ラカン『精神分析の倫理』小出浩之訳　岩波書店　二〇〇二年
ベンヤミン「暴力批判論」野村修訳　ベンヤミン著作集1　晶文社　一九六九年
ベンヤミン「ゲーテの『親和力』について」高木久雄

訳　ベンヤミン著作集5　晶文社　一九七二年

負け損をする人々への配慮

三浦雅士『孤独の発明　または言語の政治学』講談社　二〇一八年

ポー「壜のなかの手記」阿部知二訳　ポオ全集第1巻　東京創元新社　一九六九年

細見和之『「投壜通信」の詩人たち――〈詩の危機〉からホロコーストへ』岩波書店　二〇一八年

カツェネルソン『ワルシャワ・ゲットー詩集』細見和之訳　未知谷　二〇一二年

カツェネルソン『滅ぼされたユダヤの民の歌』飛鳥井雅友・細見和之訳　みすず書房　一九九九年

「ヨブ記」聖書協会共同訳（『聖書』）日本聖書協会　二〇一八年

「マタイによる福音書」聖書協会共同訳（『聖書』）日本聖書協会　二〇一八年

証言――あとがきに代えて

豊島圭介「三島由紀夫VS東大全共闘　50年目の真実」（Blu-ray）TCエンタテインメント　二〇二一年

神山睦美「はじめに」（『日本国憲法と本土決戦』）幻戯書房　二〇一八年

小熊英二『1968　若者たちの叛乱とその背景』上　新曜社　二〇〇九年

さ行

事項索引
（小説の登場人物を含む）

ま行

や行

ら行・わ行

た行

な行

は行

題名索引

ま行

や行

ら行

さ行

た行

な行

は行

索　引

人名索引

あ行

か行

装幀　幻戯書房
装画　西出毬子

神山睦美（かみやま・むつみ）一九四七年一月、岩手県生まれ。東京大学教養学部教養学科フランス分科卒。文芸評論家。二〇一一年、『小林秀雄の昭和』で第二回鮎川信夫賞を、二〇二〇年、『終わりなき漱石』で第二十二回小野十三郎賞を受賞。その他の著書に『吉本隆明論考』『二十一世紀の戦争』『小林秀雄の昭和』『大審問官の政治学』『希望のエートス 3・11以後』『日本国憲法と本土決戦』など多数。

「還って来た者」の言葉
コロナ禍のなかでいかに生きるか

二〇二一年十月十日　第一刷発行

著　者　神山睦美
発行者　田尻　勉
発行所　幻戯書房
郵便番号一〇一－〇〇五二
東京都千代田区神田小川町三－十二
岩崎ビル二階
電　話　〇三（五二八三）三九三四
ＦＡＸ　〇三（五二八三）三九三五
ＵＲＬ　http://www.genki-shobou.co.jp/

印刷・製本　中央精版印刷

ISBN 978-4-86488-233-0　C0095